联合国世界水发展报告 2015（下卷）

面对挑战：案例研究及指标

联合国教科文组织 编著

全球水伙伴中国委员会 编译

中国水利水电出版社

www.waterpub.com.cn

内 容 提 要

本卷从阿拉伯国家、亚洲和太平洋地区、欧洲及拉丁美洲选取了七个案例进行分析，从各领域的水资源供应管理和提高水资源利用率角度分析如何实现水资源的最大化利用。此外，本卷汇集的30多项指标，反映了大量与《世界水发展报告2015》的主题“可持续发展世界之水”相关的重要世界性趋势，如用水需求、人口增长、贫民窟扩张、电力消耗、水资源供应及卫生条件改善、营养不良的盛行、灾难导致的人口迁移以及全球实现千年发展目标的进展等。

Original title: The United Nations World Water Development Report 2015 - Facing the Challenges: Case Studies and Indicators

Published in 2015 by the United Nations Educational, Scientific and Cultural Organization under the ISBN 978-92-3-100072-0, ePub ISBN 978-92-3-100098-0.

本报告由联合国教科文组织代表联合国水计划出版。联合国水计划成员和合作伙伴的名单请见 http://www.unwater.org。

图书在版编目（CIP）数据

联合国世界水发展报告. 2015. 下卷，面对挑战 ：案例研究及指标 / 联合国教科文组织编著 ；全球水伙伴中国委员会编译. -- 北京 ：中国水利水电出版社，2016.1

书名原文：The United Nations World Water Development Report 2015

ISBN 978-7-5170-4251-8

Ⅰ. ①联… Ⅱ. ①联… ②全… Ⅲ. ①水资源利用－可持续性发展－研究报告－世界－2015 Ⅳ. ①TV213.4

中国版本图书馆CIP数据核字(2016)第087377号

北京市版权局著作权合同登记号：图字 01-2015-8329

审图号：GS（2016）95号

书　　名	**联合国世界水发展报告 2015（下卷）** 面对挑战：案例研究及指标
原著编者	联合国教科文组织　编著
译　　者	全球水伙伴中国委员会　编译
出版发行	中国水利水电出版社 （北京市海淀区玉渊潭南路1号D座　100038） 网址：www.waterpub.com.cn E-mail：sales@waterpub.com.cn 电话：（010）68367658（发行部）
经　　售	北京科水图书销售中心（零售） 电话：（010）88383994、63202643、68545874 全国各地新华书店和相关出版物销售网点
排　　版	中国水利水电出版社微机排版中心
印　　刷	北京博图彩色印刷有限公司
规　　格	210mm×297mm　16开本　12.75印张（总）　386千字（总）
版　　次	2016年1月第1版　2016年1月第1次印刷
印　　数	0001—1000册
定　　价	**98.00**元（上、下卷）

凡购买我社图书，如有缺页、倒页、脱页的，本社发行部负责调换

前言

本出版物由联合国教科文组织向《世界水发展报告 2015》(WWDR 2015)供稿，汇集了众多案例研究和大量的指标数据。本出版物内容是对《世界水发展报告 2015》第一卷《水与可持续发展》的补充。

《世界水发展报告》第六版的发布适逢历史关键时期。世界各国领导人于 2000 年签署了《千年宣言》，决心“遏制对水资源的不可持续开采”。决议计划于 2015 年年底实现千年发展目标(MDGs)。目前，国际社会正全力编写 2015 年后的联合国发展议程。2014 年，联合国大会通过决议，采纳了开放工作小组就可持续性发展目标所作的最终报告，具有里程碑意义。该工作小组的提议包括 17 项目标，其中第 6 项与水资源有关：“确保水资源的可用量和水资源的可持续性管理，确保所有人的用水卫生”。总的来说，联合国大会将于 2015 年 9 月确定可持续发展目标(SDGs)，并针对扶贫减困、社会发展、环境保护及降低灾难风险等多个议题设定国际性目标。

在 2003 年《世界水发展报告》第一版序言中，前联合国秘书长科菲·安南(Kofi Annan)强调：“淡水在我们生活中的地位举足轻重，我们为保护全球环境所做的一切，无论对错，都会通过淡水的质量反映出来。”他的观点至今仍影响深远，且意义重大。

《世界水发展报告》自首次出版以来已经发行了五版，五版中均报道了在水资源可持续利用方面取得的进展情况。在应对水资源的可持续利用这一挑战方面，毫无疑问，国际社会取得了一定进展，但这仍是一项“未竟的事业”，仍需大家共同关注，共同努力。《世界水发展报告 2015》由多个联合国机构及关注淡水问题的机构共同编写，将对这一宝贵资源的现状、使用情况和用户继续做跟踪报道。

《世界水发展报告》系列出版物不仅提供了最新的数据，来展现这一持续进行的事业所面临的挑战及未来的发展趋势，还收录了大量的案例分析，来反映世界各地的现实生活状况。2015 年，联合国教科文组织在编纂《世界水发展报告》时也延续了这一传统：从阿拉伯国家、亚洲和太平洋地区、欧洲及拉丁美洲选取了 7 个案例进行分析。

《世界水发展报告 2015》强调：“地下水供应量正在减少，据估计，世界上 20%的含水层已被过度开采。全世界多达 25 亿的人口只能依赖地下水资源来满足日常用水需求，数以亿计的农民依靠地下水维持自身生存并保障其他人的粮食安全。”鉴于这一脆弱资源的重要性，许多案例研究将重点放在水资源的可持续开发上。从经济能力有限的太平洋小岛屿发展中国家，到富裕的海湾阿拉伯国家合作委员会成员国，乃至亚洲主要大都市，政府机构普遍面临的挑战是如何管理这一未被充分研究的水资源。

上述案例研究指出，针对地表水资源和地下水资源特点，政府需要自愿自发地重新考虑各领域的水资源供应管理，提高水资源利用率，以实现水资源的最大化利用。

本出版物的另一特点是汇集了 30 多项指标，反映了大量与《世界水发展报告 2015》主题相关的重要的世界性趋势，比如用水需求、人口增长、贫民窟扩张、电力消耗、水资源供应及卫生条件改善、营养不良的盛行、灾难导致的人口迁移以及全球实现千年发展目标的进展等。世界水评估计划处(World Water Assessment Programme Secretariat，WWAP)将继续改进和开发新的指标，并作为其全球报告工作中不可分割的一部分。

感谢联合国教科文组织成员国及其他合作伙伴的无私付出，才使这部以行动为导向、以人为本的出版物得以成书。在此，衷心感谢他们对 WWAP 的支持，并诚挚邀请其他各方加入未来版本案例研究及指标报告的编制工作中，与国际社会分享独特的实践经验。

世界水评估计划临时协调员　米凯拉·米勒图

作者　英吉·康卡古尔

致谢

感谢联合国教科文组织成员国及其他合作伙伴的无私付出。正是由于他们全程参与每一步的工作，本报告才得以完成。

感谢联合国教科文组织曼谷办事处的 Jayakumar Ramasamy 为编写《亚洲城市案例研究》作出的贡献，及其对联合国世界水评价计划理事会提供的诸多协助。

特别感谢青年专家 Maxime Turko 和 Sisira Saddhamangala Withanachchi 对本报告指标部分的编写所给予的热情关注与协助。

同时还要对 Joseph Alcamo 和 Martina Flörke（德国卡塞尔大学环境系统研究中心），Karen Franken 和 Lvia Peiser（联合国粮农组织），Peter Koefoed Bjørnsen 和 Paul Glennie（联合国环境规划署-DHI 水与环境中心），Nienke Ansems 和 Neno Kukuriç（联合国国际地下水资源评估中心），Francesca Grum（联合国统计司），Leena Iyengar 和 Richard McLellan（世界自然基金会）表示衷心的感谢，感谢他们在提供关于所选指标最新信息方面所给予的支持。

最为重要的是，感谢意大利政府提供慷慨的资金支持，否则一切工作都将无法开展。

供稿者

Sangam Shrestha（实现亚洲城市地下水资源可持续管理的目标）

Fábio Mendes Marzano 和 Itaipu Binacional（巴西巴拉那河流域优良水源培蓄计划）

Waleed K. Al-Zubari（海湾阿拉伯国家合作委员会成员国的水资源可持续管理）

Massimo Bastiani，Endro Martini，Giorgio Pineschi，Francesca Lazzari，Sandra Paterni，Massimo Rovai（意大利可持续发展之河流契约：以塞尔基奥河为例进行案例分析）

Leo Berthe，Denis Chang Seng，Lameko Asora（太平洋小岛屿发展中国家的淡水安全所面临的挑战：关注萨摩亚的海水入侵）

第三世界水资源管理中心（墨西哥），Ming Hwee Lee，Nora Farhain Hamim（新加坡国家水资源机构），联合国水资源宣传与沟通十年计划（新加坡水资源回收利用）

Martijn van de Groep（越南湄公河三角洲可持续发展目标进展情况）

案例研究及指标报告编制团队

编辑组

Alice Franek

Diwata Hunziker

Engin Koncagül

出版助理

Valentina Abete

地图设计

Pica 出版社 Roberto Rossi

世界水评估计划（WWAP）

资助方

意大利政府

意大利翁布里亚区政府

世界水评估计划技术顾问委员会

Uri Shamir（主席），Dipak Gyawali（副主席），Fatma Abdel Rahman Attia，Anders Berntell，Elias Fereres，Mukuteswara Gopalakrishnan，Daniel P. Loucks，Henk van Schaik，Yui Liong Shie，Lászlo Somlyody，Lucio Ubertini 和 Albert Wright

世界水评估计划性别平等顾问团

Gülser Çorat 和 Kusum Athukorala（联合主席），Joanna Corzo，Irene Dankelman，Manal Eid，Atef Hamdy，Deepa Joshi，Barbara van Koppen，Kenza Robinson，Buyelwa Sonjica 和 Theresa Wasike，Marcia Brewster 与 Vasudha Pangare

世界水评估计划秘书处

临时协调人：Michela Miletto

方案：Barbara Bracaglia，Richard Connor，Angela Renata Cordeiro Ortigara，Simone Grego，Engin Koncagül，Lucilla Minelli，Daniel Perna，Léna Salamé 及 Laurens Thuy

出版：Valentina Abete 和 Diwata Hunziker

公关：Simona Gallese

性别及区域监测：Francesca Greco

行政办公：Arturo Frascani 和 Lisa Gastaldin

安全：Fabio Bianchi，Michele Brensacchi 和 Francesco Gioffredi

实习生及志愿者：Agnese Carlini，Lucia Chiodini，Greta di Florio，Alessio Lilli，Jessica Pascucci，Emma Schiavon，Maxime Turko 及 Sisira Saddhamangala Withanachchi

目录

专栏，图和表目录

专栏

图

表

我们做什么和我们能做什么，这两者之间的差别足以解决世界上的大多数问题。

——圣雄甘地

第 1 部分
案例研究

章节

重要研究成果— 1. 实现亚洲城市地下水资源可持续管理的目标— 2. 巴西巴拉那河流域优良水源培蓄计划— 3. 海湾阿拉伯国家合作委员会成员国的水资源可持续管理— 4. 意大利可持续发展之河流契约：以塞尔基奥河为例进行案例分析— 5. 太平洋小岛屿发展中国家的淡水安全所面临的挑战：关注萨摩亚的海水入侵— 6. 新加坡污水回收利用— 7. 越南湄公河三角洲可持续发展目标进展情况

重要研究成果

《联合国世界水发展报告》于 2003 年首次出版，本书是本系列报告的第六版。该报告强调，水资源及其提供的一系列服务是社会经济发展的基础。毋庸置疑，自 2000 年制定千年发展目标以来，我们在健康、食品安全及环保方面取得了相当大的进展，数亿人民摆脱了贫困。但不幸的是，这些进展在世界各地的分布并不均衡，许多地区仍需作出更多的努力。

本报告系联合国教科文组织对《世界水发展报告 2015》的供稿，汇集了多个精选案例，每个案例都展示了一个国家的实际状况及其经验。精选的 7 个案例研究（见下文地图）不仅重点介绍了优良的实践经验、创新的工作方法和充满希望的项目前景，还包括了不均衡的行业用水方式及对用水需求的不可持续性响应所导致的消极后果。

案例研究的分布

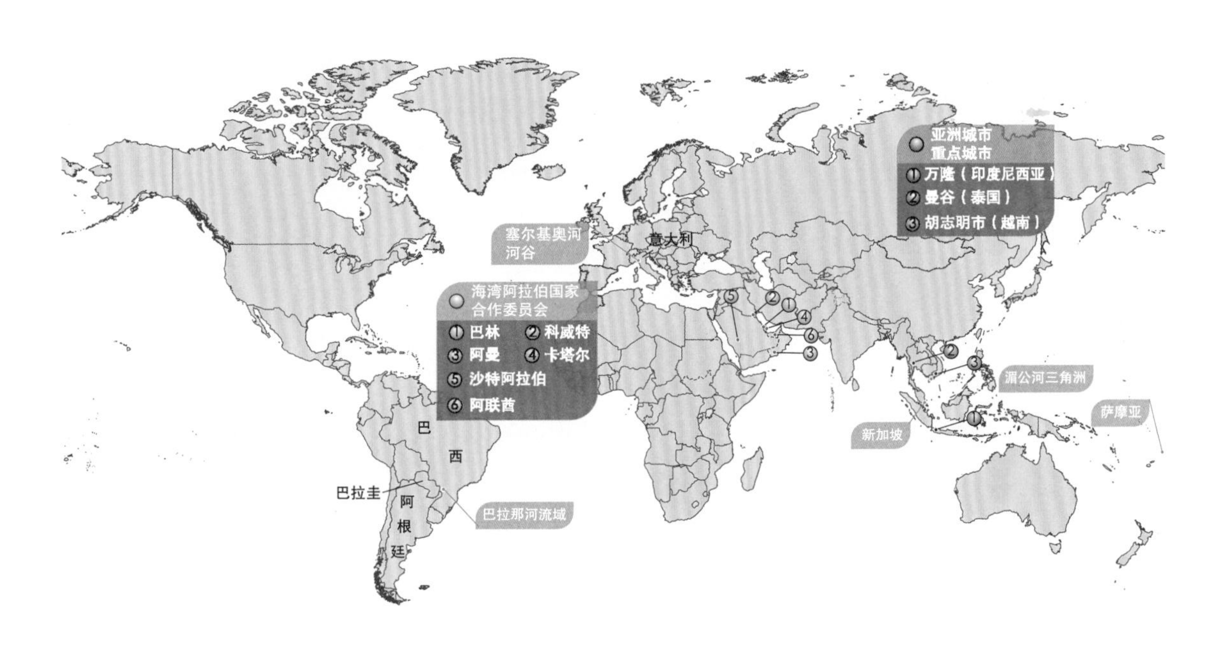

亚洲城市、海湾阿拉伯国家合作委员会成员国（GCC）及太平洋小岛屿发展中国家（SIDS）的案例研究表明：地下含水层对满足不断增长的用水需求作出了巨大贡献。然而，各国的工作重点一直放在增加地下水的开采上，而没有从中期和长远角度审视地下水资源的战略性开发。一些案例表明，有些国家甚至鼓励加大对地下水资源的开采。由此导致的后果是，地下含水层不断退化并衰竭，出现严重的地面沉降。在太平洋小岛屿发展中国家，气候变化、气候变异以及水资源存有量数据的缺失，使得地下水资源状况更加恶化。亚太地区及海湾阿拉伯国家合作委员会成员国正在制定规则，以期控制和扭转地下水不可持续利用这一不断恶化的趋势。此举措已经取得了积极进展，比如，曼谷（泰国）对地下水实行公平定价，使地下水水位逐渐恢复，地面沉降速度趋向稳定。为应对不断增长的地下水不可持续使用现象，许多海湾阿拉伯国家合作委员会成员国已着手改善现代农业灌溉技术。海湾阿拉伯国家合作委员会成员国还注意到了城市供水管网的水资源流失现象，并致力于将流失程度降低至国际标准水平，现已取得一定进展。

萨摩亚当局在改善水资源管理框架及机构编制方面作出了巨大努力。但是，将传统的水资源开发转变为水资源管理，矫正水资源分散治理模式，不仅对案例研究中涉及的亚太国家和海湾阿拉伯国家合作委员会成员国而言是个挑战，对全球各国都是一大挑战。

《世界水发展报告 2015》强调，如何利用水资源不应由水资源管理者单独决策。实现可持续发展需要政府、民间团体及企业的广泛参与，上述各方均须将水资源纳入其决策范畴。巴西和意大利的案例研究表明，利益相关方及社会团体参与到项目规划与项目实施中来，有助于提升其主人翁精神，从而增大成功概率。

2003 年提出的巴西巴拉那河流域优良水源培蓄计划旨在抑制环境恶化，促进气候变化适应和水资源保护工作。市级政府指导委员会将各行各业的利益相关方聚集在了一起。正是由于多方共同努力，该流域有近30%的面积已经完成或者即将完成环境修复工作。

在意大利，河流契约正日益成为河流保护、环境修复及更好的土地利用规划方面的参与式管理工具。河流契约的优势在于能优先与广大利益相关者直接沟通。意大利托斯卡纳区的塞尔基奥河契约是河流契约的一个例子，在其计划阶段就有270多名利益相关方参与。在该河流契约的作用下，一份强调城市自然和谐发展的土地更新规划既已形成，降低洪灾风险的结构性措施也已拟定。此外，农民也受到激励，积极参与到环保工作中。

新加坡的案例研究表明，要在水资源短缺地区实现水资源的长期可持续供应，政府支持和对研发的持续投资非常重要。为减少对外部淡水的依赖，该国《水资源总体规划》计划实现多样化的水资源供应，其中包括再生水。对薄膜技术的投资使得废水净化水平大大提高，足以满足工艺用水的严格要求，且能达到饮用水的国际质量标准。一场以“新生水”为主题的宣传教育活动在各个领域的利益相关方中全面展开，使得回收水的接受率达到了98%。跨境河流流域的覆盖面积占地球表面积的45%左右。随着国内外对有限水资源的竞争日趋激烈，水资源管理者、政要和工程师应通力合作，确保水资源在其流经的各国得到综合管理。湄公河委员会于2011年发布的流域开发战略就是对跨境河流进行综合管理的典型案例。

越南的案例研究表明，随着“革新开放”这一系列经济改革的进行，该国经济增长日益加速，贫困状况正不断得到改善。然而，湄公河三角洲出现的问题却日益严重，比如水污染、红树林被破坏及气候变化等，以工农业为基础的开发方案能否取得成功面临挑战。水资源综合管理及土地使用政策在全国范围内的有效实施对整个国家至关重要。

上述案例研究还表明，对传统的不可持续性做法的控制工作正在不断取得进展。然而，尽管人们对环境恶化和水资源减少这两大问题的认识不断加深，目前世界范围内做出的努力仍不足以将经济社会的可持续发展与淡水资源的可持续利用结合起来，这会导致日益严峻的水资源危机和人类灾难。2015年后发展议程有助于国际社会解决上述问题，而绝大部分问题都将在2030年以前得到解决。

实现亚洲城市地下水资源可持续管理的目标

1

摘要

在一些亚洲城市，地下水对社会经济的发展发挥着重要作用，因为它能满足各行各业的用水需求。但是随着人口增加、人民生活水平提高和工业化发展等方面的压力逐渐加大，地下水不可持续使用的迹象已经显现：地下水位下降、地面沉降以及天然来源和人为污染所导致的水质下降。目前已经实行地下水限采措施，包括许可制度和收费机制。这些举措是否奏效还要看当地的情况，而非整个地区情况的反映，因为这些地区的地表水和地下水的水量不同，而且在具体环境中还存在政策差异和机构协调性的问题。对亚洲城市乃至世界上其他地区而言，转变重开发而轻管理的传统企业观念将是个重要课题。

在亚洲，地下水在满足各行各业的用水需求方面发挥着重要的作用。比如，多个亚洲城市（包括一些首都城市，如印度尼西亚的雅加达、越南的河内和中国的北京）的住宅区饮用水主要来自地下含水层。在无法获取饮用水供应的亚洲农村地区，地下水也是主要的供水来源，比如，柬埔寨有多达60%的人口、孟加拉国有多达76%的人口依靠管井取水。在大型城市地区，地下水更多地应用于工业消耗，而非个人消费。

尽管地下水对亚洲城市至关重要，但地下水的合理管理却未受重视。各国工作重点仍放在地下水开发上，由此导致资源枯竭和退化现象。本案例研究对一些亚洲城市（表 1.1）的地下水使用进行了分析，重点研究对象是泰国首都曼谷（曼谷同时也是泰国人口最多的城市）和印度尼西亚第三大城市万隆（按人口计算）。本研究还讨论了当前面临的挑战、政策工具的实施、管理方式及其效果。

在表 1.1 所列的九大亚洲城市中，地下水一直被各行各业作为一种简单易得且价格低廉的水资源加以利用，促进了这些城市的经济发展（图 1.1）。

表 1.1　一些亚洲城市对地下水的依赖

城市（国家）	人口（百万）	地下水（占水资源供应的百分比 / %）	问题
万隆（印度尼西亚）	2.4	75	过度开采，地面沉降
曼谷（泰国）	11.5	9	过度开采，地面沉降
胡志明市（越南）	7.4	35	地下水位下降，海水入侵，污染
海德拉巴（印度）	7.8	30	大多数水井水位下降，污染
加德满都（尼泊尔）	2.5	55	过度开采，地下水位下降，污染
拉合尔（巴基斯坦）	8.0	100	地下含水层迅速下降，污染
东京（日本）	13.3	30	过度开采，地面沉降
万象（老挝）	0.2	92	污染
仰光（缅甸）	4.7	50	过度开采

图 1.1 地下水（GW）使用与实际国内生产总值（RGDP）（经通货膨胀调整后的国内生产总值）的相关性

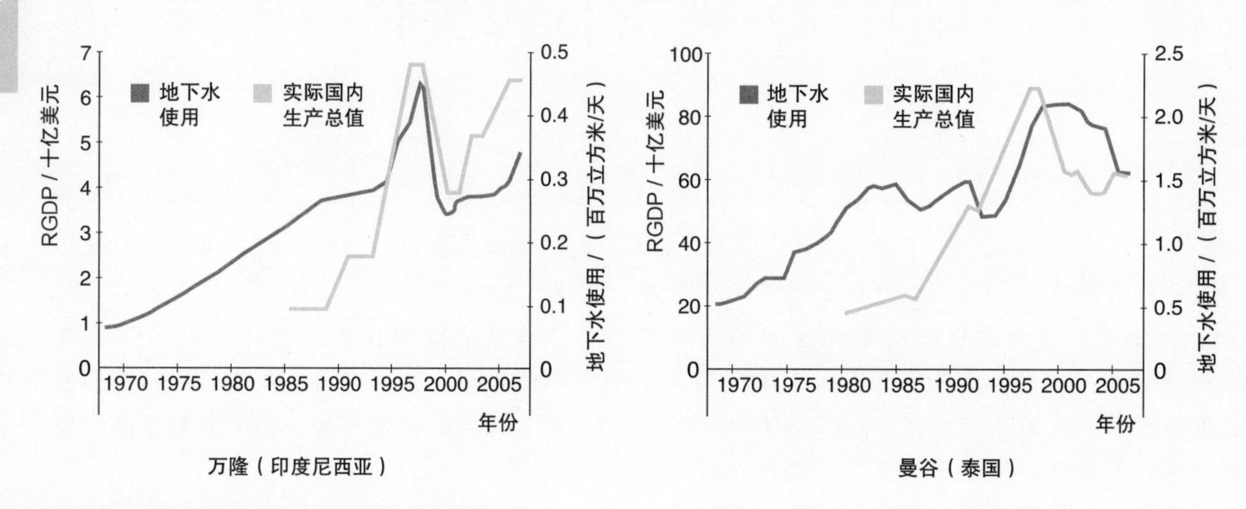

注：上述城市有相当一部分地下水用于工业：万隆为80%，曼谷为60%。
资料来源：IGES（2007，图6，第8页）@IGES，经许可重印。

随着人口增长和社会经济的发展，这些城市对地下水的需求还在继续增加。但是，由地下水过度开采导致的主要问题已在多个地区凸显，其中包括地面沉降、水位下降、地下水污染以及海水入侵地下含水层。

曼谷、万隆、胡志明市和东京均已出现由地下水开采导致的地面沉降。在上述城市的部分地区，地面沉降已非常严重，已导致建筑物和基础设施出现结构性损坏。曼谷东部的地面沉降率已达 10 厘米/年或更高；万隆一些地区的地面沉降率已高达 24 厘米/年（IGES，2007）。

2003 年以前，巴基斯坦第二大人口城市拉合尔的地下水位一直处于浅层水位（大约位于地表以下 5 米）。但根据拉合尔水资源与卫生机构发布的数据，该地区在 2003—2011 年间，地下水位平均每年下降 5～11 米。截至 2011 年，某些地区地表水以下水位已下降多达 45 米。由于水位的大幅下降，水井的安装和运行费用有了显著增加。

许多亚洲城市的地下水受到了来自天然来源（如砷和氟化物）和人类活动的污染，数百万人的健康受到了严重威胁。源于人类活动的污染物包括大肠杆菌群、挥发性有机化合物、硝酸盐及重金属（如镉）。上述污染物的主要来源是工农业生产、生活废水及低效率的固体废物管理活动（如垃圾填埋的泄漏）。以万隆为例，浅层地下水由于受到来自生活废水和工业废水（尤其是来自城市中大量纺织工厂的废水）的污染，已经不适合直接消费。此外，在废物处理和工业化合物排放点的下游，卤代烃和微量元素的浓度有所增加。受工业活动的影响，海德拉巴的地下水中含有高浓度的硫酸盐（＞400 毫克/升），有些地区深层地下水中的氟化物浓度已经超出了允许范围。

地下水过度开采还可能导致地下含水层的盐碱化，从而影响地下水的使用。胡志明市的所有地下含水层均已在一定程度上受到盐度的影响。在曼谷，地下水中氟化物浓度的增加和溶解性固体总量的增加也是一个严重的问题。

为了控制和扭转地下水资源不断退化的趋势，该地正制定法规。为缓解地面沉降等问题，日本和泰国（尤其是在某些重点地区）颁布了具体的国家法律，以控制地下水的使用。在一些亚洲城市，无论是否存在针对地下水开采的国家法律，控制地下水开采以适应当地条件的法规均已实施（表 1.2）。地方规定通常更加有效，因为地方规定反映了当地的地下水状况及水资源的实际使用情况。

其中一个地下水管理范例是有偿用水。这种收费规定与以往的习惯做法有所不同，以往用户只需支付安装水井的费用，无需支付水资源本身的费用。在曼谷和万隆，乃至最近在胡志明市，对用户收费或征税已成为一种手段，用以抑制地下水的不可持续性开采。尽管这一步具有积极意义，但在一些地区，由于政策问题，此规定在减少用水需求方面发挥的作用十分有限。就万隆而言，尽管市政府在 1995 年提出了区域划分和许可制度，1998 年又

表 1.2

一些亚洲城市关于控制地下水开采及使用的地方规定

城市（国家）	法律与法规	背景及目的
万隆（印度尼西亚）	关于地下水管理的43/2008号政府法规	水井许可证制度规定、水井注册规定及水价管理规定
曼谷（泰国）	地下水法案（1977，1992，2003）	制定了地下水开采条例，以缓解地下水位下降和地面沉降；即，打井许可，设定非开采区，设立地下水发展资金
胡志明市（越南）	地下水水质之国家技术规准（QCVN 09：2008/BTNMT）以及由自然资源和环境部发布的几项决议（如 05/2003/QD-BTNMT，02/2004/CTBTNMT，17/2006/QD-BTNMT，13/2007/QD-BTNMT，15/2008/QD-BTNMT）	打井条例和地下水勘查开发条例
海德拉巴（印度）	安德拉邦水、土地及树木法案（2002）	工业用地下水开采井的注册与许可，钻探设备注册，地下水流域的分类
东京（日本）	工业用水法；建筑用水汲取法规	工业用水使用条例；住宅用水和商业建筑用水条例

出台了地下水开采收费制度，但由于实施效率低下，万隆盆地范围内的地下水非法开采量不降反增。总的来说，1995—2004 年，万隆深层含水层的地下水消耗率已高达 12 米/年。由于地下水的单位成本低于公共给水成本，各行各业（尤其是工业，仍是城市中最大的水资源用户）仍在不断挖掘地下水资源。过度提取地下水已成为曼谷一大普遍性问题。但是，随着地下水定价方案和开发地表水资源以增加水资源可用量方案的实施，上述问题在一定程度上得到缓解（专栏 1.1）。类似的方案在万隆却未能发挥同等效果，其中一个主要原因是万隆的地表水可用量有限。

专栏 1.1

曼谷地下水使用调度

在严格的定价制度和公共水资源供应制度的协同作用下，曼谷的地下水开采已有所减少，地面沉降也得到了缓解。曼谷大都市圈于 1985 年首次实行地下水收费制度。但是，这一制度在减少地下水开采上并未发挥太大作用，主要原因是地下水的收费低于自来水收费。因此，在 2003 年以前，对地下水的收费逐年增加；并在 2004 年，曼谷首次提出额外征收地下水保护费。如今，地下水用户要为其使用的地下水支付比公共自来水更高的费用。得益于此，曼谷中心地区及东部城区的地下水位在逐渐恢复。如今，地面沉降率已趋于稳定，某些地区甚至出现了地面沉降的复原。

就制度而言，本研究中有几个国家为专门管理地表水和地下水资源，设立了两个或多个国家级机构或部门，并安排地方政府负责相关法律的实施。但是，这些机构之间的相互协调以及国家机构与地方机构之间的协调并不理想，不足以保证制约措施的有效执行。以越南为例，有四个部门负责地下水管理（自然资源与环境部、工业部、农业与农村发展部、交通及公共事务部），但这四个部门之间协调不力，阻碍了胡志明市相关法律的有效实施和数据收集（见《越南案例研究》，第 7 章，第 27 页）。

除以上规定外，政府还在考虑推行其他方法和措施，以保证地下水资源的可持续使用和对地下水资源进行保护。其中包括：完善“可持续生产”的定义，该定义将地下水对地表水流的补充和地下水依赖型生态系统考虑在内；确定地下水本身的价值，并对抽取地下水所需的其他资源按成本计算方案（Kemper，2007）进行定价；根据不同情况确定地下水的使用权；改善地下水资源的地方管理，以最大限度地适应当地状况与需求；将地下水管理进一步纳入国家政策和规划范畴，以促进地下水节约及保护措施落实到位，实现良好的水资源管理。

致谢

Sangam Shrestha

参考文献

除引用其他文献外，本章节内容引自：

Shrestha, S. 2014. *Towards Sustainable Groundwater Management in Asian Cities.* Bangkok, Water Engineering and Management, Asian Institute of Technology. (Unpublished)

****

IGES (Institute for Global Environmental Strategies). 2007. *Sustainable Groundwater Management in Asian Cities.* A Final Report of Research on Sustainable Water Management in Asia. Kanagawa, Japan, Freshwater Resources Management Project, IGES. http://enviroscope.iges.or.jp/modules/envirolib/upload/981/attach/00_complete_report.pdf

Kemper, K.E. 2007. Instruments and institutions for groundwater management. M. Giordano and K.G. Villholth (eds), *The Agricultural Groundwater Revolution: Opportunities and Threats to Development,* pp. 153-172. Wallingford, UK, CABI.

巴西巴拉那河流域优良水源培蓄计划

2

摘要

伊泰普水电站制定了“优良水源培蓄计划”（或简称“CAB”），这一计划既对环境恶化作出了回应，也为巴拉那河经巴西与巴拉圭两国边境的河段绘制了可持续发展的蓝图。2003年，该计划发起于巴拉那河流域巴西区段。由于高密度的农业活动以及不断加剧的气候变化，该区段面临的挑战（包括污染、森林滥伐及生物多样性的丧失）日益严峻。“优良水源培蓄计划”的核心在于通过分散的参与式管理，鼓励流域范围内的所有利益相关方共担责任，这一举措为该计划的成功铺平了道路。在这一计划指导下，63项举措已经实施，这些举措重点涵盖道德、文化、社会、经济、资源利用率等相关领域。在“优良水源培蓄计划”覆盖区，有29个市级政府依法成立了“优良水源培蓄计划”指导委员会；这些指导委员会提供了良好平台，以公开讨论各类问题，共同探讨如何为实现更好的水资源管理及环境保护开展纠正行动。该计划在社会领域和教育领域也进行了具体整合，以根本性地改变以环境恶化为代价换取经济发展这一传统做法。经过11年的发展，“优良水源培蓄计划”已形成一种发展模式，并被巴西其他地区、拉丁美洲及非洲所借鉴。

伊泰普大坝位于巴拉那河流经巴西（东南边境）与巴拉圭两国边境的河段，于20世纪70年代中期由巴西和巴拉圭共同修筑。另外，两国还共同建立了伊泰普水电站并共同管理其运行。由伊泰普水电站管理的水力发电厂于20世纪80年代中期开始运营，是世界上发电量最大的水电厂：2013年，该水电厂的发电量多达98.6TW·h（太瓦时）。目前，伊泰普水电站分别供应巴西和巴拉圭17%和75%的电力需求。

2003年，巴西总统换届，政府为促进国有企业在其管辖区内广泛开展社会活动和环保活动颁布了一项新指令。伊泰普水电站对这一战略计划作了全面评估。人们逐渐意识到：由于伊泰普水电站在当地非常重要且影响巨大，该水电站完全有能力成为联邦政府公共政策的有力推进者，不仅可以敦促联邦政府实行农业政策、扶贫政策以及针对脆弱人群（比如小农户和小渔民）的社会融合政策，还能促使其采取措施以适应气候变化。这样一来，伊泰普水电站的机构使命和战略目标有了新的发展。以往，该水电站的使命与目标仅限于电力生产，现在，伊泰普水电站的重要任务是为伊泰普大坝及其水库所在地区的环境问题与社会问题寻求解决办法。为了完成这一使命，伊泰普水电站于同年提出了“优良水源培蓄计划”（葡萄牙语为“Cultivando Água Boa programa”，缩写为“CAB”）。

“优良水源培蓄计划”（CAB）发起于巴拉那河流域巴西区段（图2.1）。该区段的面积约为8 000平方千米，下辖29个市级单位，总人口约为100万。实施“优良水源培蓄计划”（CAB）的基本计划单位是巴西区段的各个子流域。农业是该地区最主要的经济活动：小农场多达35 000个，主要生产大豆和玉米；农场饲养了150多万头猪，3 000多万只家禽；此外，基于这些农作物及动物产品的农用工业也已建立。但该地的农业活动通常采取不可持续的方式，由此导致了森林滥伐及环境污染等问题。这种不可持续的发展方式缘于残存的殖民地观念，即可以为了实现经济发展牺牲环境。“优良水源培蓄计划”（CAB）的首要目的是应对日益严重的环境危机，同时将气候变化适应及水资源保护列为重点项目。

“优良水源培蓄计划”（CAB）各项目标的实现，有赖于社会的普遍参与（专栏2.1）。创新性治理的首要原则就是要使流域内的各个社区都参与到决策过程中来。同时，为提升当地人民的总体生活质量，也为在教育和环境沟通的复杂过程中使可持续发展的原则融入到社区行为特征中，“优良水源培蓄计划”（CAB）将社会包容性定为核心内容。

图 2.1 巴拉那河流域“优良水源培蓄计划”覆盖范围

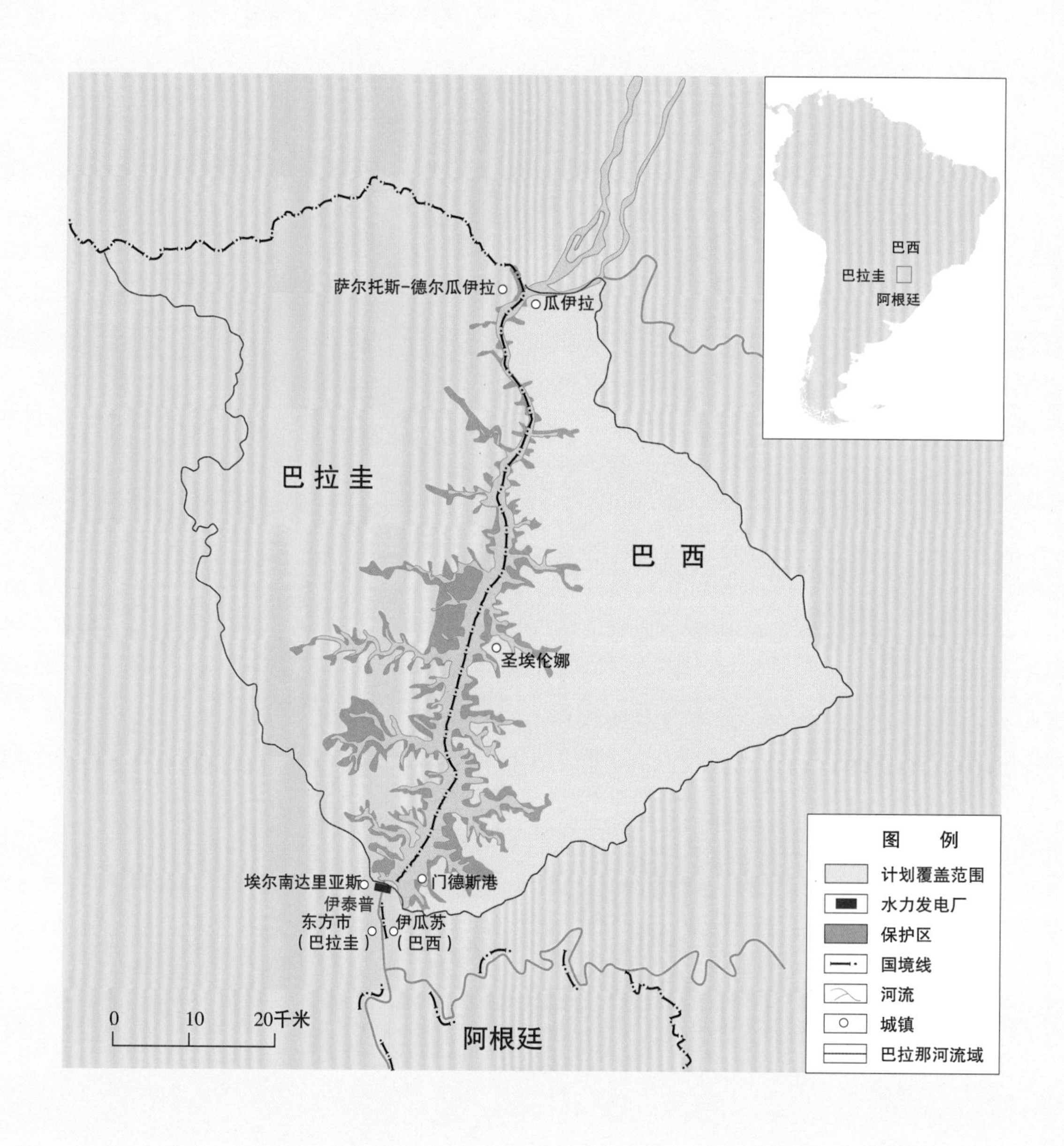

一直以来，“优良水源培蓄计划”（CAB）举措旨在保护水资源、耕地及森林资源，并借助各种技术减少由农业活动导致的空气污染、水污染和土壤污染。这些举措不仅对资源节约及环境保护作出了贡献，还有力减轻了气候变化的严重影响。在这些举措启动之前，巴拉那河流域已经遭受气候变化的影响，比如干旱的时间延长以及暴风雨及其导致的洪灾次数增多等。此外，人们还采取了一系列减少环境污染的纠正行动，包括改善农村公共卫生及废水治理、减少杀虫剂的使用、多植树、建造围栏以保护泉水和森林、收集可回收废弃物及执行土地保护政策（例如，免耕农业和梯田）等（表 2.2）。自本计划启动以来，206 个子流域（相当于该流域近 30%的面积）的环境修复工作已经完成或接近完成。

环境教育是“优良水源培蓄计划”（CAB）的一大支柱，通过与利益相关方在遍布 29 个市级政府的教育论坛上展开对话得以落到实处。自“优良水源培蓄计划”（CAB）发起的 11 年间，巴拉那河流域巴西区段接受环境教育的居民已经超过 20 万人。教育方式包括演讲和会议，主题都与水资源、气候变化、环境伦理、环境责任及可持续发展有关。另外，环境教育网络已为数百个机构的教师及水资源管理者乃至社会各个阶层提供了环境教育培训课程，为环境教育作出了重要贡献。目前，参与环境教育网络的人数超过了 2 万，其中不乏大量的青年代表。

农业是巴拉那河流域最主要的经济活动，“优良水源培蓄计划”（CAB）的主要目标之一就是要实现农业的可持续发展。在这一主题指导下，近 1 500个家庭农场在使用绿色农业技术上进步显著，从而有效降低了二氧化碳的排放量并减少了杀虫剂的使用。与此同时，还有 1 200 个农场开始发展有机农业，并自发组成了 14 个协会。此外，该地区每年都在不同地点多次举办“有机生活”展会，每次都有 5 万多名当地消费者参与。当地农民在展会上营销很成功，收入有了一定的提高，这也是发展绿色农业的主要成效之一。有机食品的主要消费者是公立学校，有 70%的饭菜是用当地的有机产品烹制的。这些学校的厨师以女性居多，接受过相关教育，了解有机食品的好处。此外，当地还举办美食大赛，并设有最美味食物奖和最优秀厨师奖。通过大赛，公众对烹饪这一通常由女性从事的工作有了更多的认同，从而有力改善了性别平等状况。

“优良水源培蓄计划”（CAB）的另一目标是通过减少捕捞量来增加渔民收入，改善渔民生活。伊泰普水电站一直支持鱼类养殖研究与发展，有 700 多位小规模渔民及其家庭因此获益。通过使用清洁水箱，应用鱼类养殖技术，这些家庭的收入有了一定的增长，养鱼产量也得到了保证。

“优良水源培蓄计划”（CAB）的实施还为当地的瓜拉尼人提供了良好的增加收入的机会：他们可以饲养家畜，种植玉米、木薯及药用植物，栽种果树，建立养鱼场，制作工艺品，举办文化活动等，从而改善了生活和生计。

专栏 2.1

利益相关方参与“优良水源培蓄计划”的设计与实施

“优良水源培蓄计划”（CAB）在其实施的子流域，得到了社区及其领导者和政府当局的支持。为使当地的各个社会部门都参与到“优良水源培蓄计划”（CAB）计划的实施中来，该计划提议在 29 个市级政府分别建立“优良水源培蓄计划”（CAB）指导委员会。随后，“优良水源培蓄计划”（CAB）指导委员会依法成立，功能类似于论坛，将各行各业的利益相关方（如农民、教师、政治家、社区及宗教领导人，以及联邦政府、州政府及市政机构的代表）汇集一堂。在指导委员会会议上，社区不仅讨论其工作的优先顺序，设定其合作伙伴的工作内容，还决定如何在其辖地范围内采取措施，以及如何监控和评估各项计划的实施效果。同时，每个项目（如环境教育、家庭农场、药用植物以及原住民社区的可持续性）还设有管理委员会。最终，有 2 200多个合作伙伴通过这种集体协作的方式参与到“优良水源培蓄计划”（CAB）项目中，其中包括非政府组织、联邦政府、州政府及地方政府、高校、农民组织、工会、贸易协会以及社区代表。

在制定社区目标时，“未来规划研习会”（Oficinas do Futuro）为将各个利益相关方汇集到一起发挥了重要作用。在研习会上，各方公开讨论问题，达成共同愿景，并拟定了“水协议”。“水协议”在结尾部分作出公开承诺：社区领导人和政府将建立可持续合作关系，在该流域共同采取纠正措施。从 2003 年到 2013 年，共达成了 59 份类似水协议。“优良水源培蓄计划”（CAB）大会每年举办一次，29 个市的利益相关方代表齐聚伊瓜苏，共商对策，评估结果，并对下一年的工作作出规划。

在研习会期间及随后的“水协议”执行期间，农民的家庭成员（主要是女性成员）参与了计划和决策过程，这使得女性手中有了权力。“优良水源培蓄计划”（CAB）项目中也出现了一些女性领导人，如伊瓜苏（COAAFI）的环保机构协会理事长、药用植物农户协会（格兰拉戈合作社）理事长以及伊瓜苏河畔圣米格尔的农民协会理事长都是女性。此外，女性还占据了市级政府环境教育管理者中 90%的席位，市级管理委员会的协调员中也有 40%是女性。

专栏 2.2

“优良水源培蓄计划”覆盖区域内所采取的水资源、土地资源及森林资源保护措施现已取得的成效

- 种植了500万株本地物种苗木，以恢复森林、保护泉水；
- 修建了1 400公里的围栏，以防止牲畜破坏河岸树林或污染河水；
- 建成160套供水设备，用来清洗拖拉机及其他农业机械，保护河水免受杀虫剂污染；
- 向社区捐赠了189台液体肥料（由畜牧业所排废水制成）喷洒设备（以减少杀虫剂的使用，避免水污染）；
- 建起了220平方公里的梯田，以避免土壤侵蚀，减少河流输沙量；
- 该流域及伊泰普保护区复原的森林吸收了800 000吨的二氧化碳；
- 根据与11所高校签订的协议，绘制了地理坐标参考，以对各个农场及子流域的环境进行管理。

“生物多样性，我们的珍贵遗产”是“优良水源培蓄计划”（CAB）的一大主题。根据这一主题发起的各个项目，力求通过物种研究、开发和繁殖来保护和改善当地物种（动物和植物）的遗传多样性。通过种植2 400多万棵树木和对自然保护区内的物种进行保护，建造圣玛利亚生物多样性走廊成为了可能。该生物多样性走廊衔接巴西南部的两大主要野生动物保护区：巴拉那州的伊瓜苏国家公园（联合国教科文组织世界遗产地）和南马托格罗索州的格兰德岛生物群系。另外，建立PIracema通道（鱼类迁徙通道）也是一项值得关注的举措，迁移的鱼类物种将通过PIracema通道（鱼类迁徙通道）直接进入巴拉那河，伊泰普水坝不再是其迁移途中的障碍。

总体而言，“优良水源培蓄计划”（CAB）目前已实施了63项举措，主要围绕20个不同主题展开：环境教育、生物多样性及农业可持续发展等。正是由于这63项举措的成功实施，“优良水源培蓄计划”（CAB）计划得以广泛传播开来，并被巴西各地区、拉丁美洲和非洲的部分地区所借鉴。

致谢

Fábio Mendes Marzano，Itaipu Binacional

参考文献

本章内容引自：

Itaipu Binacional. 2014. *Itaipu and the* Cultivando Água Boa Program *[Cultivating Good Water]*. Brasilia, Itaipu Binacional. (Unpublished)

海湾阿拉伯国家合作委员会成员国的水资源可持续管理

3

摘要

为增加水资源供给，海湾阿拉伯国家合作委员会成员国大力投资基础设施建设（比如海水淡化装置、处理设施、大坝和水井等），却很少关注如何高效供应、使用、回收利用及重复利用水资源。为实现水资源的可持续利用，这些国家迫切需要重新考虑目前各行各业供应方单方面管理水资源的传统做法，并努力提高社会意识，减少水资源的不合理利用。此外，根据现行的一般性补贴制度，海湾阿拉伯国家合作委员会成员国的工作重点是提高水资源利用效率，以提高每立方米水资源的最大生产力，这点至关重要。目前，这些国家已经采取了一些措施，并取得一定进展，但提高水资源利用效率仍应是水资源管理政策及当地国家议程的重点。

巴林、科威特、阿曼、卡塔尔、沙特阿拉伯和阿联酋等海湾阿拉伯国家合作委员会成员国(GCC) 处于干旱地区。对这些国家而言，实现水资源的可持续供应是个非常复杂且充满挑战的任务。之所以说它复杂，不仅是因为水资源可用量有限，更重要原因在于，随着社会经济发展节奏加快、粮食产量不断增加、城市化发展加快以及人口增长迅猛（从 1980—2010 年的短短 20 年间，人口数量从 1 400 万增长到了 3 000 万)，各行各业的用水需求在不断增加。这些因素导致人均淡水可用量从每年的 600 立方米减少到了每年的 160 立方米，远低于每年 500 立方米的水资源绝对贫困线水平(图 3.1)。而当地各行各业的用水总量却从 1980 年的 60 亿立方米增加到了 2010 年的 260 亿立方米，其中，农业需求量最大，占各行各业用水总量的 80%（表 3.1)。上述这些因素不仅导致海湾阿拉伯国家合作委员会成员国的水资源短缺不断加剧，还使得水资源供应成本不断上升。这两大因素都使这些国家未来的发展面临着现实的挑战。

受气候变化及现行的一般性补贴制度等诸多因素的影响，水资源供应方面所面临的挑战将日益严峻。为了缩小水资源可用量与用水需求量之间不断扩大的缺口，大多数海湾阿拉伯国家合作委员会成员国的水资源管理主要依靠供应方单方面采取措施

图 3.1

海湾阿拉伯国家合作委员会成员国人均水资源可用量的变化趋势（1970—2010年）

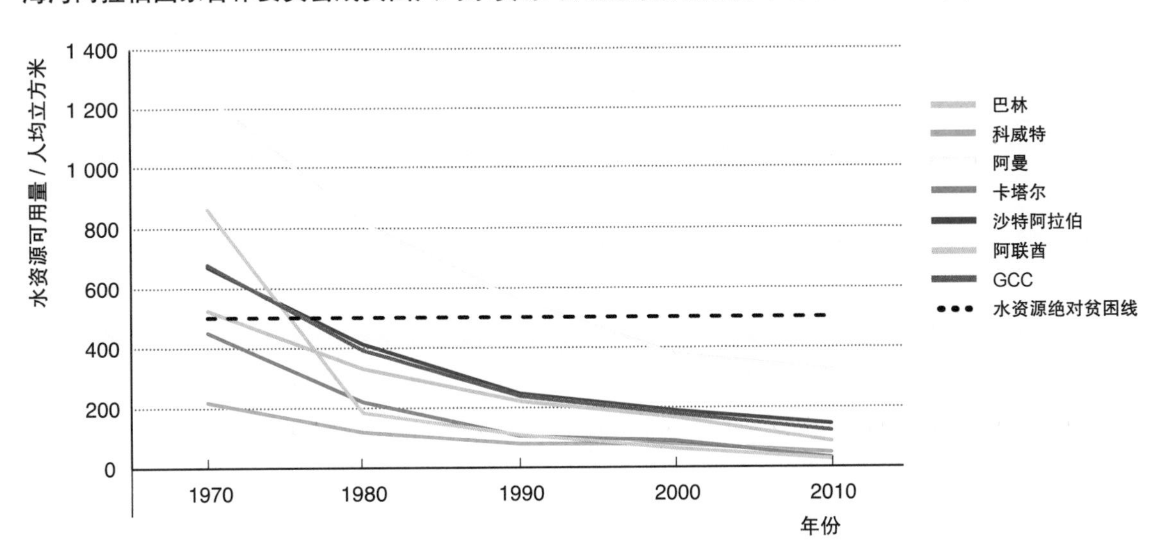

资料来源：改编自World Bank（2005）。

表 3.1 海湾阿拉伯国家合作委员会成员国各部门用水量（2010年）

国家	城市用水		工业用水		农业用水		用水总量
	百万立方米	百分比	百万立方米	百分比	百万立方米	百分比	百万立方米
巴林	231	51.3	29	6.4	190	42.3	450
科威特	646	54.8	20	1.7	513	43.5	1 179
阿曼	182	10.0	94	5.2	1 546	84.8	1 822
卡塔尔	370	56.7	22	3.4	261	39.9	653
沙特阿拉伯	2 283	13.1	753	4.3	14 410	82.6	17 446
阿联酋	983	21.4	477	10.4	3 140	68.2	4 600
总计	4 695	18.0	1 395	5.3	20 060	76.7	26 150

解决（开发昂贵的新资源，比如淡化海水）。另外，许多国家的全国性水资源集中式管理、水资源管理机构和各部门的分散式管理造成了巨大的财政、经济、环境和社会损失。因此，提高各行各业的水资源利用效率对应对挑战、实现稀缺资源的可持续利用至关重要。

在海湾阿拉伯国家合作委员会成员国，由于供应方及需求方的水资源效率都较低，这些国家所面临的挑战更加严峻。举例来说，在供水方面：城市供水管网中无收益水❶的实际泄漏比例高达 40%；生产海水淡化水的费用较高（每立方米 1～2 美元）；污水再生利用十分有限：生活用水的平均废水处理率不到 50%，经过处理的废水重复使用率不到 40%。在用水需求方面：多个海湾阿拉伯国家合作委员会成员国的国内人均水资源消费量超过了 500 升/天，达到了世界最高水平。在农业领域，低效率的灌溉活动会浪费高达 50%的灌溉用水。在工业领域，减少水资源使用量的流程未经优化，回收利用成效微乎其微。所以，努力提高水资源利用效率仍应是海湾阿拉伯国家合作委员会成员国政治议程的首要任务。但值得欣慰的是，一些富有希望的行动已经实施，下文将对这些行动作简要介绍。

3.1 减少无收益水

尽管海湾阿拉伯国家合作委员会成员国的水资源供给设备性能良好，可为客户提供连续可靠的服务，但这些国家无收益水的实际漏损（比如渗漏）率依然居高不下。举例来说，沙特阿拉伯无收益水的实际漏损率大约在 20%～40%，巴林无收益水的实际漏损率高达 30%。这种状况导致了巨大的财政损失及城市内涝相关问题。

可喜的是，如今，所有海湾阿拉伯国家合作委员会成员国都已开始关注市政管网的水资源损失，并将无收益水的实际漏损率降低了 10%～15%，达到了国际可接受标准。以卡塔尔为例，平均无收益水标准从 2007 年的 59.1%（实际漏损率为 33.6%）降低到了 2012 年的 19.6%（实际漏损率为 6.8%）。此外，科威特及阿联酋的无收益水也分别减少了 5%和 7%。

3.2 工业用水和废水管理

为降低石油和天然气价格波动对经济的影响，海湾阿拉伯国家合作委员会成员国决定实施产品多元化政策。随着产品多元化政策的实施，工业部门的用水量与日俱增。从 20 世纪 90 年代中期的 3.21 亿立方米（约占其总用水量的 1.3%）增长到 2012 年的 13 亿立方米（约占其总用水量的 5.3%）。海湾阿拉伯国家合作委员会成员国工业用水需求主要靠地下水满足（占其工业用水总量的 96%），剩余部分靠去盐水补充。

❶ 无收益水量是指供水系统的水资源总量与用户交费的水总量之间的差量。无收益水由三大部分组成：实际漏损（由渗漏导致，有时也称为物理漏损）、表观漏损（由盗水、水表计量误差和数据处理错误等引起）及未收费合法用水量。

鉴于其他产业的竞争需求，许多海湾阿拉伯国家合作委员会成员国正采取措施，以有效管理工业用水，降低工业排放的影响。比如，巴林为市政供水网中的工业用水发放补贴，并逐渐提高补贴额度。至 2015 年补贴额度将与供水成本持平。阿曼也采取同样的做法，将市政供水中的工业水费价格标准定为每立方米 1.7 美元左右，这一标准高于家庭用水价格标准（每立方米 1 美元左右）。

3.3 农业部门的水资源利用和政策改革

农业发展政策旨在实现粮食自给自足，忽略了用水效率问题，造成了农业部门用水的过度浪费。尤其是，地下水缺乏价格标准，传统灌溉方式成为主要灌溉方式，且栽培作物多为用水密集型作物。这是农业高用水量的两大主要原因。巴林 72%、科威特 63%、阿曼 60%、卡塔尔 75%的农田采用漫灌法。有报告称，采用这种传统、低效的灌溉方法造成的水流失高达 25%～40%。据估算，在阿曼，配水管网和漫灌法造成的水流失高达 40%。而阿联酋则为农民提供贷款和技术支持，以扩大现代灌溉方法的应用。如今，阿联酋有高达 90% 的土地（2 100平方公里）使用现代灌溉方法，总体上节约了 40%～60%的用水（首都阿布扎比附近地区节水比例高达 90%）。此外，阿联酋塑料大棚的使用量显著增加，总面积达 5 平方公里。

在海湾阿拉伯国家合作委员会成员国，农业生产可免费使用地下水。此外，大多数成员国没有安装水井流量计，给监控地下水抽取带来了困难。因此，密集型和不可持续型的灌溉用水方式（平均 94%的用水来自地下水）造成化石（不可再生）含水层的快速耗竭。同时，盐度不断上升也造成了其他含水层被破坏。为抑制这一趋势恶化，阿曼政府相关部门制作了一份全国水井目录，并收集了相关技术规格数据（如：水井深度）和水井证书授权数据。于 1991 年后开挖的水井，因无授权证书已被关闭，井主已被罚款。

为防止地下水进一步恶化，一些海湾阿拉伯国家合作委员会成员国，如巴林，一直致力于推广废水灌溉政策。由于经过处理的废水含盐度低于地下水，科威特、卡塔尔及阿联酋也逐渐开始增加废水在灌溉中的应用。鉴于沙特阿拉伯的灌溉用水需求从 1975 年的 7 亿立方米增加到 20 世纪 90 年代后期（同期的小麦产量已达年均 400 万吨）的 230 多亿立方米，政府相应地改进了其农业政策。2000 年，沙特的粮食自给自足政策有了重大发展：鼓励农业生产应用节水灌溉技术（如滴灌技术）和土壤湿度传感设备。随着这些政策的实施，传统的小麦生产模式被逐渐淘汰，政府主导的土地分配活动终止，政府补贴（汽油及电价补贴；购买水泵和灌溉设备贷款补贴；进口化肥和设备免税补贴；国际竞争下的国内市场保护性补贴）减少。这些措施从整体上减少了沙特阿拉伯的灌溉用水量和地下水提取量（2012 年约 175 亿立方米）。而这一成果的取得必将促进地下水资源的可持续发展。

致谢

Waleed K. Al－Zubari

参考文献

除引用其他文献外，本章节内容还引自：

Al-Zubari, W.K. 2014. *Sustainable Water Resources Management in the GCC Countries.* Bahrain, Water Resources Management Program, College of Graduate Studies, Arabian Gulf University. (Unpublished).

****

The World Bank. 2005. *A Water Sector Assessment Report on the Countries of the Cooperation Council of the Arab States of the Gulf.* A report prepared for the Arab Gulf Programme for United Nations Development Organizations (AGFUND), Riyadh, Saudi Arabia. The World Bank Report No.: 32539-MNA, March 31, 2005.

4 意大利可持续发展之河流契约：以塞尔基奥河为例进行案例分析

摘要

河流契约是一种参与式管理工具，旨在保护河流、改善环境及更合理地规划土地使用。在意大利，随着各流域、地区、省、市政府及其他利益相关方的广泛参与，河流契约愈发普遍与常见。河流契约的优势在于可与广大利益相关方直接协商。为保证河流契约实施效率更高，创造更多就业机会，契约下的项目通过公、私合作的形式实施。集体管理模式与成功实现可持续发展之间的联系越来越密切，因此，塞尔基奥河契约在拟定阶段就已将270多个利益相关方包括其中，实属托斯卡纳地区的成功典范。该契约的缔结成就斐然，如：重新改进城市发展策略，使城市发展与自然、河流和谐共存；将农民纳入环境保护方之列。

为实施水资源综合管理政策，《欧盟水框架指令》❶（2010年颁布）将河流流域定性为自然地理与水文单元。该方针还主张，在农业生态平衡、土地使用规划及水资源管理相关议题的决策上，公民应积极参与协商。然而，水文流域作为管理的一个理想化空间范畴，并不一定完全适应区域特殊性要求。尤其是，水文流域问题尚处谈论阶段，可能不被该流域内的全部政治和经济强国所接受(Guerra，2013)。有人建议，在同一流域范围内，与其规定一个正式条款，不如就某个特定的问题划分区域（如：子流域或两个及两个以上的流域)、建立相关组织或特设临时协议（Blomquist，2008)。这一方法强调了河流契约在寻求河流流域有效恢复方法时所发挥的创造性作用。

意大利当前的规划模式重点强调城市发展，而河流契约在水资源综合管理及转变当前规划模式中发挥着越来越重要的作用。过去40多年间，意大利有一片区域，面积约为伦巴第、利古里亚和罗马涅三个地区面积的总和，以每年85平方千米的速度向城市化转变。如果这一趋势不被遏制，预计到2020年，土地转化率将高达0.75平方千米/天（每年约为300平方千米)。这一趋势不仅会造成自然环境系统性的破坏，还会因洪泛区和其他脆弱生态区的开发，增加洪涝灾害的风险。2000—2012年间，欧盟国家的洪涝灾害已造成平均每年约57亿美元的损失，到2050年，这一数字将可能达到273亿美元。在意大利，洪涝灾害的应急措施支出约为其国内生产总值（GDP）的0.7%（Bastiani，2011)。气候变化及不断加剧的气候多变性可能使这一形势更加恶化。为减缓城市化的高速发展，解决洪涝灾害及相关问题，多个项目在河流契约的指导下开始实施。这些项目旨在建立土地使用和水资源之间的良好平衡。实施途径主要是推行城市政策：重视水资源质量、防范水文地质风险、遏制土地开发及规避部门利益驱动下的短视规划。

河流契约反映了引进新管理形式的必要性。为了实现这一点，欧洲各国颁布了许多公共管理指令及指导方针，以期通过共享和互补方式，实现水资源、土地及地表景观❷的综合管理。河流契约强调各流域、地区、省、市政府及其他利益相关方的共同参与。集体管理模式与成功实现可持续发展之间的联系越来越密切。地方团体居于该管理模式的中心地位；在将河流资源作为集体资源保护、防止自然景观的退化与消失、保护生物多样性和环境以及实现宝贵资源的高效利用和可持续管理方面，地方管理发挥着主体作用（Martini 和 Soccodato，2012)。

---

❶ 欧洲议会和欧洲理事会2000/60/EC指令：建立水资源政策领域欧共体行动框架。

❷ 《欧洲景观公约》将“景观”定义为“能够为人所感知的区域，是自然活动和（或）人为活动互动的结果”(COE，2014)。因此，景观的特征多样化，涵盖范围从生态重要性地区到旱地，从城市地区到农田。

图 4.1 塞尔基奥河流域及塞尔基奥河契约项目实施区域

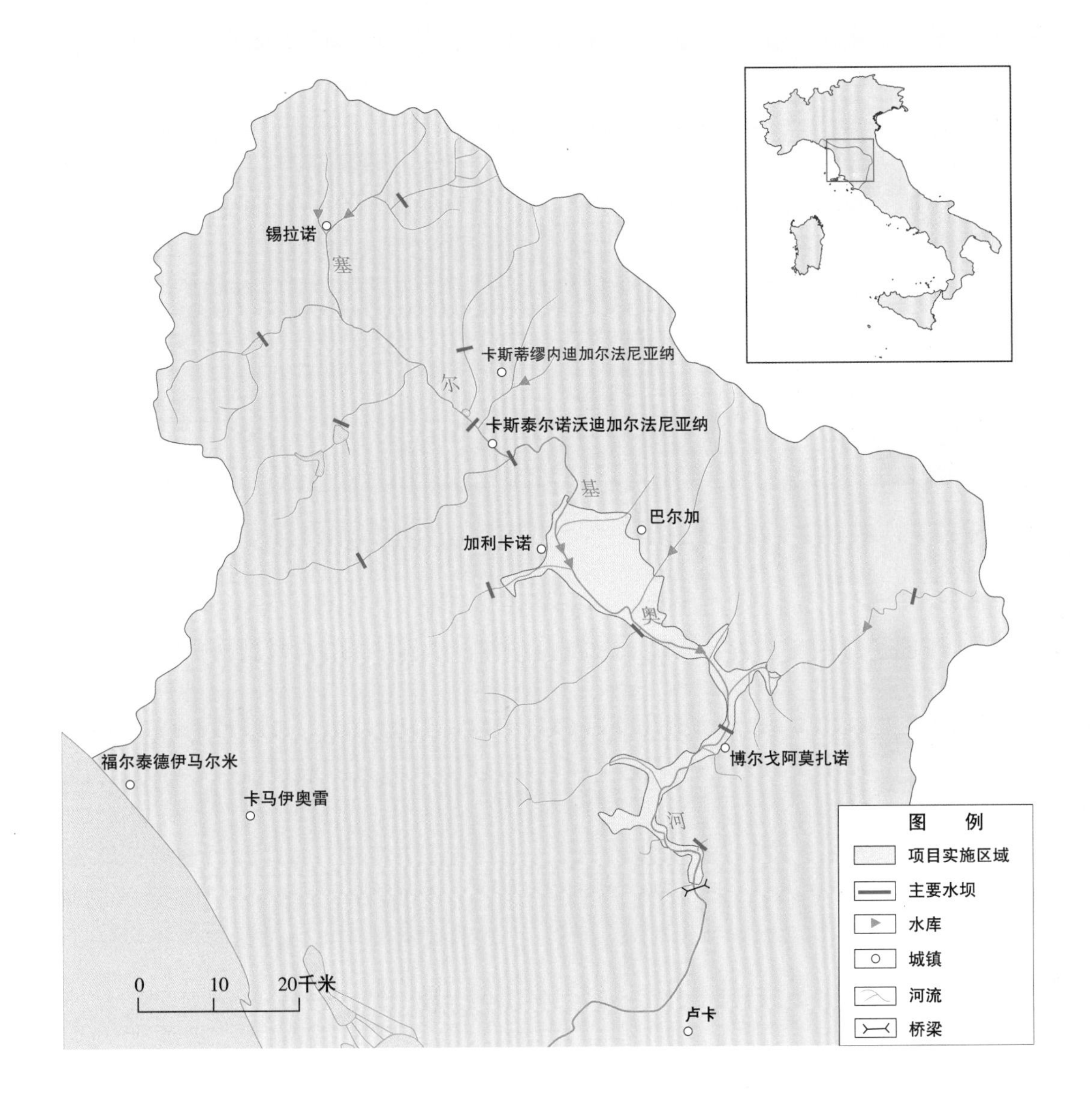

伦巴第和埃蒙特作为开拓性地区，实施了大量河流契约项目，以保护溪流系统、修复洪水蓄滞区的环境、加强二级水文网络（如：沟渠、小溪）以及改善农业系统。

皮尔蒙特于 2007 年通过《区域水资源保护规划》引进河流契约。如今，河流契约不仅关注河流，还关注一些主要区域的湖泊。此外，该地区还在《农村发展规划》中为实施综合性河流政策和农业管理政策提出了具体措施。同年（2007 年），意大利制定了国家河流契约数据表，这为其他河流契约的发展提供了重要支持。该数据表的制定意味着有可能在将来通过汇聚众力、集思广益建立集体管理模式。在国家立法框架内，意大利环境部、土地部、海洋部及意大利环境保护研究所（ISPRA）通力合作，共同推动河流契约成为河流保护的重要手段。

在河流契约实施初期，意大利中部地区、北部地区（阿布鲁佐、艾米利亚-罗马涅、翁布里亚、托斯卡尼、威尼托）及南部地区（巴西利卡塔、卡拉布里亚、坎帕尼亚、普利亚和西西里岛）就已实行相似举措。在威尼托的马泽涅戈河、皮亚韦河及梅奥洛河流域，契约项目正在有条不紊地进行。同时，在宝河、布伦塔河和阿迪杰河河口，河口契约也已开始实施。该契约重点关注内陆、过渡和沿海水域间复杂的相互作用。在阿布鲁佐地区，河流契约在初始实施阶段就已覆盖托尔迪诺河及沙吉塔里奥河河口区域。地区政府已将河流契约纳入地区农业议员授权内容中，从而加强了阿布鲁佐各部门启动其他河流契约的决心。艾米利亚-罗马涅地区以更广泛的方式实施河流契约。例如，帕纳罗河实施的是景观契约❶，马雷切亚河实施的是河流契约。这些契约被纳入里米尼省战略规划，具有发展规划特征。翁布里亚的河流契约则以景观修复为导向（Bastiani，2014）。例如，事实证明，帕格利亚河契约帮助振兴奥维多地区，使其摆脱2012年所遭受的严重洪涝灾害的影响。在托斯卡尼，河流契约得到地区政府和当地部门的支持，并与河流流域管理规划密切相关（具体情况如下文详述的塞尔基奥河案例）。此外，公民行动也衍生了自发契约（如：为保护环境及改善方方面面的地貌景观，公民在维尔达诺安姆波利兹河周边建设公园）。

塞尔基奥是托斯卡尼地区第三条大河，主要流经卢卡省，全长126多千米。塞尔基奥河契约项目区（图4.1）位于塞尔基奥河中游，介于旁特坎地亚地区（属巴尔加自治区）和圣·安萨诺桥地区（属旁特莫里诺地区，卢卡自治区）之间，全长37.5千米。如今沿塞尔基奥河这一河段的居住区，原来曾沿着山脊或位于半山腰处。但自20世纪50年代以来，这些居住区扩大到峡谷底部，导致平坦的梯田区内重要地块饱和。在某些情况下，洪泛区内的重要地块也达到饱和。这一趋势使人们集中居住在峡谷谷底，而不是根据区域地形开发新的居住地，造成人口过剩和基础设施紧张。工业（尤其是造纸厂）也沿河而建，并有延伸至河床的趋势。居住区和工业区分别占流域总面积的13%左右和7%左右，共计20%。

塞尔基奥河流契约的目标是抑制地表景观和生态系统的恶化、恢复子流域中的土地原貌。第一个试点项目主要在赛尔基奥河谷中段开展。为了保证该项目实施过程的全面参与性，塞尔基奥河流契约在该项目实施的初始阶段就已将大量潜在的利益相关方考虑进来。卢卡省国土规划局在总结中指出，约有270个利益相关方（包括12个国家公共机构、40个地区公共机构、64个当地公共机构、30个媒体机构、11个高校院系及13个高等教育机构）为该项目的实施做出了积极贡献。2012年2月，卢卡省国土规划局举办了一次协商会议，向利益相关方详细阐述了河流生态修复、水资源质量保护、洪涝灾害防控、发展旅游业和地方经济可持续发展所要达成的目标。后续召开的两个会议，致力于建立一个长期可持续的发展远景，设计合理方案并确立实现首要目标需要完成的项目。2012年4月，最后一次会议制订了一项行动计划和一份备忘录，该备忘录旨在建立与加强当地团体和利益相关方之间的相互理解。会上，44个项目（将通过公共、私营合作形式加以实施）被赋予一定程度的优先权。其中，有些项目采用结构性调整措施（如：建设蓄滞洪区），有些项目则采用“软”措施（如：教育及培训和信息收集及分享）。目前，塞尔基奥河流契约已取得诸多显著成果，其中包括更新省际合作国土规划。该规划旨在调控城市发展以实现其与自然、河流和谐共存，实施结构性调整措施以减少洪涝灾害风险，建设并开放省际间骑行车道和步行车道以促进旅游业发展，并鼓励农民参与到环境保护中来（专栏4.1）。

专栏 4.1

赋予农民“河流守护者”的权利

“农民：河流的守护者”这一试点项目旨在确定和实施最佳实践方案，以适应塞尔基奥河流契约项目区的特殊情况，恢复那些因为人类活动（人为因素）过度改造环境导致消失的栖息地。该项目旨在实现三大目标：增大环境改造效力，同时使成本最小化；在水位较低地区，由当地居民参与管理环境破坏预防并及早干预；赋予农民“河流守护者”权利，以鼓励农民留守该地区。

尽管投资和财政来源有限，但这项工程仍取得了诸多成果，包括：

- 在欧盟农村发展项目基金的资助下，清理了（海拔600米及以上）河流中过度生长的植被；

❶ 景观契约的目标是在自然、城市和城市周边地区三者之间建立一种平衡，以保护环境、创造形式丰富的休闲场所并建立风景优美的景观。

• 可以监控、报告不同范围、不同级别的环境问题；

• 实现了适当、及时、有成本效益干预措施的规划；

• 农林复合经营模式得到奖励。

通过在农民和相关机构之间建立双赢合作伙伴关系，该项目强化了农业生产中的多功能概念。以互惠互利为宗旨的合作伙伴关系具体表现为：农民保护环境取得效益，得到经济奖励；农民参与数据收集和信息共享，使河流和土地资源保护措施更为及时，成本效益更高。

致谢

Massimo Bastiani, Endro Martini, Giorgio Pineschi, Francesca Lazzari, Sandra Paterni, Massimo Rovai

参考文献

除引用其他文献，本章节内容还引自：

Bastiani, M., Martini, E. and Pineschi, G. 2014. *The Italian Experience of 'River Contracts' and Case Study of the Serchio Valley.* (Unpublished) Prepared by Massimo Bastiani (National Table of River Contracts, Gubbio, Italy), Endro Martini (Alta Scuola Cultural and Scientific Association, Perugia, Italy) and Giorgio Pineschi (Ministry of Environment, Land and Sea (Rome, Italy).

_____. 2011. Contratti di Fiume: Pianificazione Strategica e Partecipata dei Bacini Idrografici *[River Contracts: Strategic and Participatory Planning in Hydrographic Basins].* Palermo, Italy, Flaccovio Editore (In Italian).

_____. 2014. Stop the growth of cities: the role of marginal agricultural areas between river and city as a territorial protection and in the reduction of hydro-geological risk. *Scienze del Territorio*, 2: 55-78. Italy, Firenze University Press. doi:10.13128/Scienze_Territorio-14323

Blomquist, W. 2008. *Relating People to the Environment: Human Societies and River Basins.* Plenary address to the 60th Anniversary Celebration of the US-Italy Fulbright Program, Polytechnic Institute of Turin, Turin, Italy, 29 April 2008.

COE (Council of Europe). 2014. *The Territorial Dimension of Human Rights and Democracy.* The European Landscape Convention. Strasbourg, France, COE. http://www.coe.int/t/dg4/cultureheritage/heritage/Landscape/Pres_en.pdf

Guerra, S. 2013. *Disputed or Shared Territory? The Italian Experience of River Contract: New Relationship between River and its Region. Living Landscapes - Landscapes for Living.* Paesaggi Abitati. Conference Proceedings. Florence, Italy, February-June 2012. Planum. The Journal of Urbanism, no. 27, 2nd semester: 31-37. http://www.planum.net/living-landscapes-section-8

Martini, E. and Soccodato, F.M. 2012. *The River Contract: A Tool for Management and Rehabilitation of River Landscapes and Hydrogeological Risk Area.* Presented at 6th edition of the Remediation Technologies and Requalification of Territory Exhibition and 3rd edition of Coast Protection Exhibition, Ferrara, Italy, 21 September 2012, CD "Atti dei Convegni Nazionali".

5 太平洋小岛屿发展中国家的淡水安全所面临的挑战：关注萨摩亚的海水入侵

摘要

在保护并有效管理其有限的淡水资源方面，太平洋小岛屿发展中国家（SIDS）正面临愈发严峻的挑战。正如萨摩亚案例分析所述，太平洋小岛屿发展中国家在保障淡水安全上面临诸多挑战。由气候变化和人为原因造成的含水层海水入侵便是其面临的严峻挑战之一。众所周知，数据缺失不利于国家准确评估当前问题的脆弱性和严重程度。为应对这一问题，太平洋小岛屿发展中国家（SIDS）对水资源综合管理和治理框架进行大力改善。然而，传统架构与法律架构相互交织的复杂背景和分立的治水模式仍会阻碍决策过程。未来水资源相关挑战的大小将取决于目前国家战略文件中有多少承诺会付诸实践，以及执法力度取得多大进展。在这一过程中，应优先考虑两个重要问题，一是加大投资并增强与水资源科学及资源评估相关的人力和技术能力，二是维持旨在增强公众意识的国家宣传活动。

尽管太平洋小岛屿发展中国家（SIDS）的地理、地质和人口密度存在多样性，但他们在自然、金融和人口承载力方面面临一系列共同的挑战，即如何为其人口提供充足的高质量淡水。海水入侵，即海水渗入沿海含水层和地表淡水水体，是这些太平洋小岛屿发展中国家面临的又一问题。对一些国家而言，海水入侵与其休戚相关，面临的挑战日益增大。如萨摩亚，35%的淡水供应来自含水层。这一情况众所周知，但海水入侵在太平洋地区仍缺乏研究与记录。在太平洋小岛屿发展中国家（SIDS）面临的众多更为严重的问题中，水资源的可靠评估与正确管理问题尤为突出，形势尤为严峻，阻碍了这些国家的灾害恢复能力和缓解贫困能力。

太平洋小岛屿发展中国家（SIDS）温室气体排放量较小，却承受较大的气候异常和气候变化影响，其中包括：海平面上升、海洋酸化、水资源相关的自然灾害加剧、温度和降水模式变化。这些国家的资源有限且脆弱，气候异常和气候变化又进一步危及这里的淡水供应和获取。预计在不久的将来，热带飓风和风暴潮等自然灾害的强度还会增加（IPCC，2014a）。热带飓风和风暴潮会破坏贮水管理设施，引发洪涝灾害和海水入侵，最终造成残酷的淡水危机。其中一个危机案例是，2007年，密克罗尼西亚被超高潮汐（当地的天气模式和海洋条件加剧的结果）袭击，密克罗尼西亚联邦曾宣布国家进入紧急状态。但是，慢发性事件也会造成不良后果。举例来说，海平面的上升对萨摩亚等小岛屿发展中国家的金融资产影响显著，因为其主要的基础设施和70%的人口分布在地势低洼地区，这些地区高度暴露在海啸等水灾害的高发区。在不久的将来，海平面的上升还会加剧岛屿及环礁沿海平坦地区的海岸侵蚀、洪涝灾害及海水入侵（IPCC，2014b）。

诸如厄尔尼诺❶和拉尼娜❷的天气模式会定期产生干湿气候循环。视岛屿所在位置不同，这样的干湿气候循环会造成极端气候现象，如：丰富的降雨或强烈的干旱，这两种情况都会制约安全饮用水供应。对于太平洋小岛屿发展中国家（SIDS）而言，干旱是个极其重要、关乎生计的问题，因为这些国家可用的地下水资源有限，对降水极为依赖。这些国家包括位于珊瑚礁岛的基里巴斯、瑙鲁、马绍尔群岛及图瓦卢等。2011年，图瓦卢和托克劳群岛就曾因干旱进入紧急状态。

---

❶ 厄尔尼诺现象主要指太平洋东部和中部的热带海洋海水温度持续异常变暖，与太平洋和世界范围内的大气环流变化密切相关。通常每隔2～7年发生一次，并造成多数太平洋小岛屿发展中国家干旱。

❷ 拉尼娜现象是指赤道太平洋东部和中部海面温度持续异常偏冷的现象，与厄尔尼诺现象正好相反。

由经济发展和人口增长引发的压力使淡水资源的保护变得更为复杂。在洪水、干旱、海平面上升、资源消耗增长及其他灾害的高发期，太平洋小岛屿发展中国家（SIDS）更易受海水入侵的祸害（图 5.1）。表 5.1 总结了太平洋小岛屿发展中国家海水入侵后果观察与预测及所面临的淡水挑战。

此案例研究的剩余部分将萨摩亚作为太平洋小岛屿发展中国家的范例进行研究，以淡水安全为背景，特别强调海水入侵问题。

5.1 萨摩亚海水入侵

萨摩亚由萨瓦伊和乌波卢两个主岛组成（图 5.2），约有 18 万居民。和其他太平洋小岛屿发展中国家一样，它面临着供水缺乏保证、海水入侵导致水质变差等挑战，触发这些问题的关键因素是海平面上升及周期性的旱灾和水灾。

地表水是萨摩亚的主要水源，满足其 65% 的用水需求，其余 35% 由地下水补充。然而，在旱季，地表水储量逐渐消耗，岛上某些地方出现供水不足。

图 5.1 海水入侵的可能原因

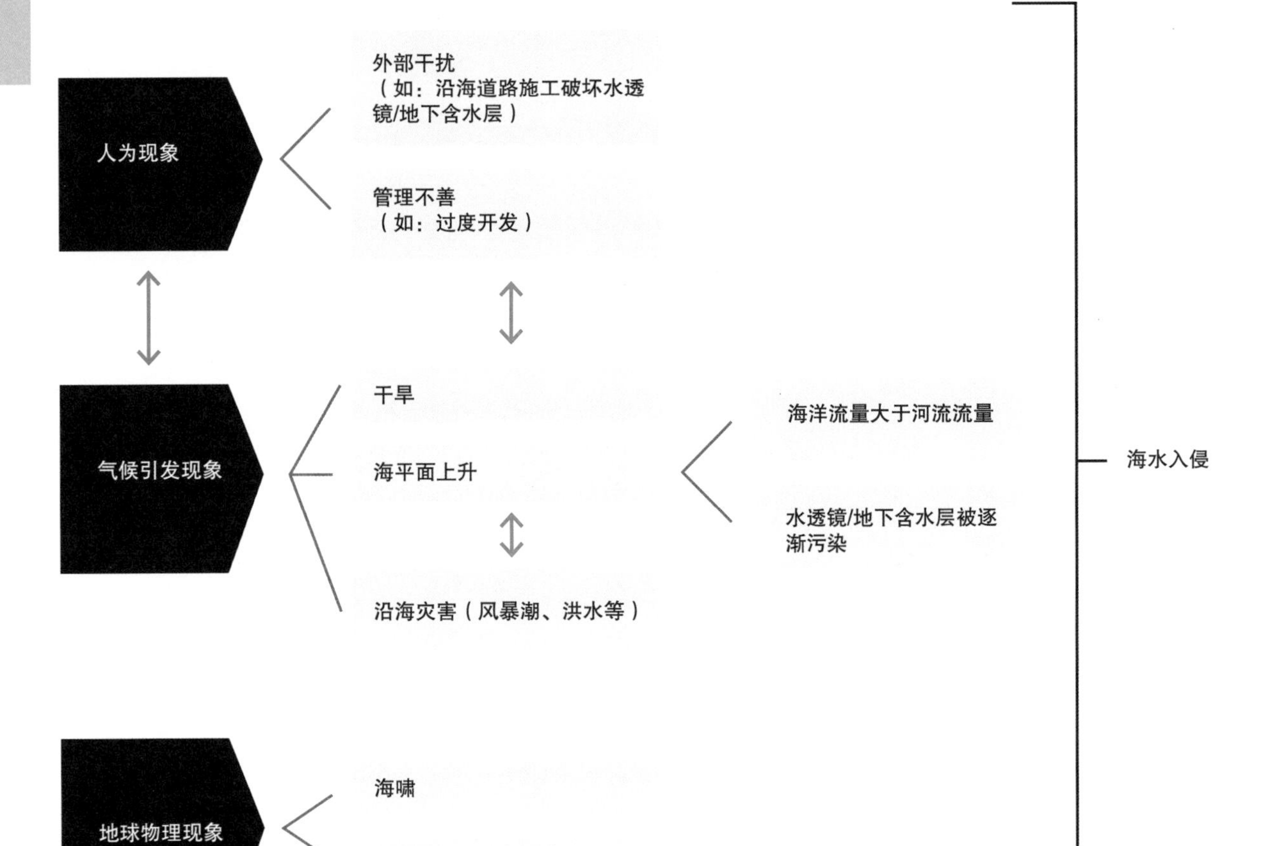

表 5.1 一些太平洋小岛屿发展中国家海水入侵观察和预测

国家	地形/淡水资源	海水入侵报告
所罗门群岛	珊瑚环礁、火山岛/地表水、雨水和地下水薄透镜体（SOPAC，2007a）	海水入侵观察："主岛低洼沿海地区及通爪哇等环礁地区的海水入侵、风暴潮和洪水已威胁粮食作物和民生。"（所罗门群岛环境保护及气象部，2008） 海水入侵预测："研究表明，若海平面上升一米，数百个小岛将被永久淹没，文化遗产将消失。海平面上升导致海水入侵，使地下水资源受到影响。在小环礁和低洼小岛尤为如此，因为，雨水或地下水是它们赖以生存的水源。"（所罗门群岛环境保护与气象部，2008）
马绍尔群岛	环礁/雨水（SOPAC，2007b）	海水入侵观察："在最近一次厄尔尼诺现象中（1997—1998年），许多居民被迫用海水沐浴，并饮用地下水。某些情况下，这种水源还遭到污染，原因是，地下水资源遭到海水入侵；排放的污水淤泥进入地下含水层；靠近墓地；动物粪便和生活垃圾释出物质造成污染。"（马绍尔群岛环保局，2000） 海水入侵预测："海水入侵和地下水质量下降可能使人口更密集的环礁出现公共卫生和营养问题。"（马绍尔群岛环保局，2000） "未来气候条件的变化可能在以下三大方面影响水的供应和质量。第一，海平面上升可能使海水入侵地下水系统问题加剧。"（马绍尔群岛环保局，2000）
库克群岛	火山岛、珊瑚环礁/地表水（南方岛群）；雨水和地下水（北方岛群）（SOPAC，2007c）	海水入侵观察："（南方岛群）没有任何一个小岛对水源进行化学处理，导致水质不宜饮用，含盐多。这表明水透镜体的开采已到了可持续性的极限，海水入侵的威胁日益加剧。"（库克群岛政府，2000） 海水入侵预测："尽管石灰岩崖壁把农业区隔离开来，海洋风暴潮和飓风仍会导致海水入侵低洼沼泽区。我们必须设定基准盐度；可以肯定的是，任何程度的海平面上升都将给曼加伊亚岛和其他马卡泰阿岛类型的岛屿带来问题。"（库克群岛政府，2000）
萨摩亚	火山岛/地表水和地下水（SOPAC，2007d）	海水入侵观察："水资源极容易受气候变化影响。与气候变化相关的重大问题包括：随着海平面上升，海水不断入侵地下水和海岸泉水。"（萨摩亚自然资源与环境部，2010） 海水入侵预测："随着海平面上升，海水侵蚀地下水的风险将日益增加。地下水补给也将随着年度降雨的减少而减少。当现在的边界被侵蚀后，海平面上升还会影响海岸泉水。"（萨摩亚自然资源与环境部，2010）
图瓦卢	环礁群岛/雨水和地下水（SOPAC，2007e）	海水入侵观察："飓风、海岸侵蚀、海水入侵和干旱是最具破坏力的气候变化影响。人们发现这些现象会对农作物、果树和民生造成影响。"（图瓦卢自然资源、环境、农业与土地部，2007） "地下水资源受到海水入侵和垃圾渗滤液的污染，不再适合人类使用。"（图瓦卢自然资源、环境、农业与土地部，2007） 海水入侵预测："图瓦卢海水入侵也影响地下水可供水量，这些地下水是植物生长、粮食作物产量和安全所必需的。"（图瓦卢自然资源、环境、农业和土地部，2007）

注：由于普遍缺乏评估能力与资源，只有几个太平洋小岛屿发展中国家提供了可证明海水入侵的数据和信息。

图 5.2 报道过的萨摩亚海水入侵案例

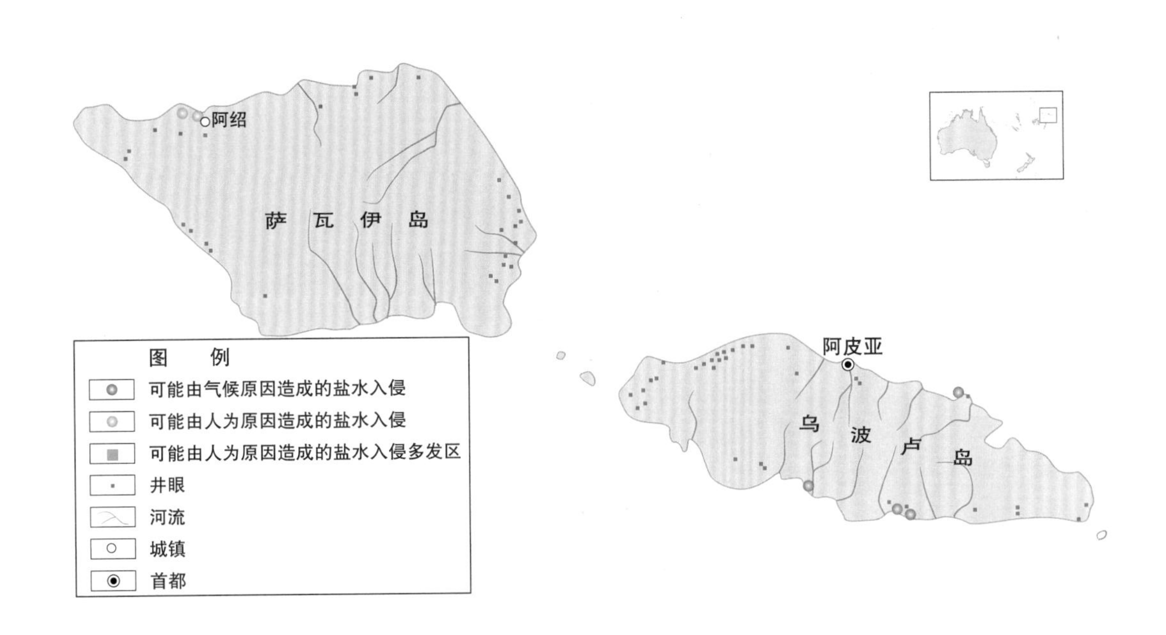

为应对这种情况并提高可供水量，萨摩亚水资源部门和私营部门一直在增大地下水抽取量（萨摩亚自然资源与环境部，2013a）。尽管缺乏（当前和未来）水供需数据，地表水和地下水用量预计将随着人口增长❶、水力发电增大和其他部门（主要有旅游业❷，一定程度上还包括工业❸）需求的增加而提高。面对越来越大的压力，一些含水层和海岸泉水的海水污染问题给萨摩亚带来了严峻的挑战。这些污染分布并不均匀。

“反思水管理”是太平洋小岛屿发展中国家在构建水资源系统恢复力问题上面临的最普遍最严峻的挑战之一。萨摩亚政府已大力改善水治理框架及制度安排（专栏 5.1）。《生命之水水事部门计划》（2012—2016 年）指出：良好的水管理是发展社会经济及保护生态系统的基石（萨摩亚自然资源与环境部，2012）。萨摩亚有关当局认识到，为推进这些工作，他们必须不断改进以应对当前和即将来临的挑战。这也反映在重要的战略文件中，如《2012—2016 年萨摩亚发展战略》（萨摩亚财政部，2012）、《2013—2016 年国家环境和发展部门计划》（萨摩亚自然资源和环境部，2013b）。这些文件把水资源相关计划放在突出位置。

得益于媒体的曝光，保护水资源的社区意识得到提高。然而，社会对地下水是一种脆弱资源的认知较低。尽管人们承认海水入侵问题的存在，但明显没有将其视为需要政府高度重视的优先事项。统计数据的缺失，特别是地下水数据的缺失明显反映了这是一种普遍态度：现有的 60 眼生产井中，只有 14 眼受到监管。其他太平洋小岛屿发展中国家的例子清楚表明，可用数据有助于改善水管理和决策的整体过程（专栏 5.2）。为弥补信息差距，有效处理当前和即将来临的挑战，萨摩亚必须改善其财

❶ 最近两次人口普查期间（2005—2011 年），年度人口增长率为 0.64%。据萨摩亚统计局预测，2011—2021 年间，年度人口增长率将为 0.7%～1.5%（萨摩亚自然资源与环境部，2013a）。考虑到移民在萨摩亚造成的各种不确定影响，这些数据需谨慎解读。

❷ 旅游业消耗大量水源，在国民经济中扮演越来越重要的角色（2012 年旅游业在 GDP 中占比为 20%）。政府的目标是，到 2016 年，游客人数每年增长 5%～7%。（萨摩亚财政部，2012）。

❸ 萨摩亚耗水量最多的产业是饮料工厂（啤酒厂、瓶装水公司和椰子加工工厂）。

政资源，特别是人力资源。

专栏 5.1

萨摩亚的参与式水管理

萨摩亚 80%的土地按照惯例由传统部门直接管理，而国家对水资源所有权的认知却存在争议。为调解纠纷并减轻影响，政府于 2008 年成立了独立水计划协会（IWSA）。独立水计划协会（IWSA）旨在向社区提供安全可靠的水源，为萨摩亚 17%的人口服务（萨摩亚自然资源与环境部，2012）。该机构同时也是政府与社区之间的推进者和协调者，它为扩大对社区的影响，特别是对女性的影响做出了很大努力。在家庭中，女性在水管理上起着关键作用，但却被习惯性排除在决策过程之外（萨摩亚自然资源与环境部，2012）。为克服这一矛盾，IWSA 规定村级水管理委员会至少有两名女性成员。这是迈向参与式水管理办法的重要一步。

萨摩亚在加强各相关政府机构之间的合作与协调上也做了许多努力。其中一个例子就是 2009 年成立的联合水事部门指导委员会（JWSSC）。联合水事部门指导委员会（JWSSC）是一个由首席执行官组成的高级别委员会①，每季度召开会议，由来自商务部、萨摩亚非政府间组织总会、独立水计划协会（IWSA）及各相关部门②高级别代表参加。通过这些会议，联合水事部门指导委员会（JWSSC）协调开展改革，展现领导力，并为水事部门提供政策指导和监管（萨摩亚自然资源与环境部，2012）。这些变化既促进永久协调，也巩固各部委之间现有的合作。这一结构调整避免了水问题被孤立处理，建立了一个集体制定和执行决策的运行机制。

① 根据水事部门制度框架，联合水事部门指导委员会（JWSSC）起着连接内阁与各部委的作用。

② 自然资源与环境部、建筑工程、交通与基础设施部，女性、社区和社会发展部，农业渔业部，财政部。

专栏 5.2

通过数据统计与监管提高马绍尔群岛的恢复力

低洼小岛往往依赖于有限的地下含水层。在干旱时期，由于抽水量剧增，这些海水层容易受到海水入侵。马朱罗环礁（马绍尔群岛）在 1997—1998 年的厄尔尼诺现象中就发生过这样的情境。为抗御干旱和淡水不足，每日地下水取水量几乎增加了两倍。该岛有关部门与联合国地质调查局合作，安装水井以监控浅含水层的状态，防止由不可持续的取水率造成的海水入侵(海水入侵通过灌溉直接影响着作物生产)。这一例子证明，评估与监控能提高有关部门及当地居民应对、减缓和适应潜在类似情况的能力，是确保水安全的关键工具。

资料来源：Keener 等（2012）。

致谢

Leo Berthe，Denis Chang Seng，Lameko Asora

参考文献

除引用其他文献外，本章节内容还引自：

Berthe, L., Chang Seng, D. and Asora, L. 2014. Multiple stresses, veiled threat: Saltwater intrusion in Samoa. L. Tovio-Alesana (ed.), *Opportunities and Challenges for a Sustainable Cultural and Natural Environment.* Proceedings of the Third Samoa Conference. Apia, National University of Samoa and UNESCO Apia Field Office.

****

Cook Islands Government. 2000. *Initial National Communication under the United Nations Framework Convention on Climate Change.* Avarua, Cook Islands Government. http://unfccc.int/resource/docs/natc/cisnc2.pdf

IPCC (Intergovernmental Panel on Climate Change). 2014a. Climate phenomena and their relevance for future regional climate change. *Working Group I, Fifth Assessment Report,* ch. 14. Geneva, IPCC Secretariat.

_____. 2014b. Small Islands. Working Group II, *Fifth Assessment Report*, ch. 29. Geneva, IPCC Secretariat.

Keener, V.W., Marra, J.J., Finucane, M.L., Spooner, D. and Smith, M.H. (eds). 2012. *Climate Change and Pacific Islands: Indicators and Impacts*. Report for the 2012 Pacific Islands Regional Climate Assessment (PIRCA). Washington, DC, Island Press.
http://www.cakex.org/sites/default/files/documents/NCA-PIRCA-FINAL-int-print-1.13-web.form_.pdf

Marshall Islands Environmental Protection Authority. 2000. *Initial National Communication under the United Nations Framework Convention on Climate Change*. Majuro, Government of the Republic of the Marshall Islands.
http://unfccc.int/resource/docs/natc/marnc1.pdf

NOAA (United States National Oceanic and Atmospheric Administration). n.d. *El Niño Theme Page*. Washington, DC, NOAA.
http://www.pmel.noaa.gov/tao/elnino/la-nina-story.html
(Accessed October 2014)

Samoa Ministry of Finance. 2012. *Strategy for the Development of Samoa 2012-2016*. Apia, Government of Samoa.

Samoa Ministry of Natural Resources and Environment. 2010. *Second National Communication under the United Nations Framework Convention on Climate Change*. Apia, Government of Samoa.
http://unfccc.int/resource/docs/natc/samnc2.pdf

_____. 2012. *Water for Life: Water and Sanitation Sector Plan 2012-2016*. Apia, Government of Samoa.

_____. 2013a. *State of the Environment Report 2013*. Apia, Government of Samoa.

_____. 2013b. *National Environment and Development Sector Plan 2013-2016*. Apia, Government of Samoa.

Solomon Islands Ministry of Environment, Conservation and Meteorology. 2008. *Solomon Islands: National Adaptation Programmes of Action*. Honiara, Government of Solomon Islands.
http://unfccc.int/resource/docs/napa/slb01.pdf

SOPAC (Applied Geoscience and Technology Division). 2007a. *National Integrated Water Resource Management Diagnostic Report: Solomon Islands*. Noumea, Secretariat of the Pacific Community.
http://www.pacificwater.org/userfiles/file/GEF%20IWRM%20Final%20Docs/SI%20Diagnostic%20Report_24_10_07_.pdf

_____. 2007b. *National Integrated Water Resource Management Diagnostic Report: Republic of the Marshall Islands*. Noumea, Secretariat of the Pacific Community.
http://www.pacificwater.org/userfiles/file/GEF%20IWRM%20Final%20Docs/MR0639RMI.pdf

_____. 2007c. *National Integrated Water Resource Management Diagnostic Report: Cook Islands*. Noumea, Secretariat of the Pacific Community.
http://www.pacificwater.org/userfiles/file/GEF%20IWRM%20Final%20Docs/MR0635CI.pdf

_____. 2007d. *National Integrated Water Resource Management Diagnostic Report: Samoa*. Noumea, Secretariat of the Pacific Community.
http://www.pacificwater.org/userfiles/file/GEF%20IWRM%20Final%20Docs/SOPAC%20Samoa%20IWRM%20Diagnostic%20Report%2022_10_07.pdf

_____. 2007e. *National Integrated Water Resource Management Diagnostic Report: Tuvalu*. Noumea, Secretariat of the Pacific Community.
http://www.pacificwater.org/userfiles/file/GEF%20IWRM%20Final%20Docs/SOPAC%20Diagnostic%20Report%20Tuvalu%2022_10_07.pdf

Tuvalu Ministry of Natural Resources, Environment, Agriculture and Lands. 2007. *Tuvalu: National Adaptation Programme of Action*. Funafuti, Government of Tuvalu.
http://www.sids2014.org/content/documents/162NAPA.pdf

6 新加坡污水回收利用

摘要

自独立以来，新加坡认识到为满足未来需求，必须实现供水多元化。20 世纪 70 年代已经出现了污水回收利用计划。然而出于对成本和可靠性的担忧，这些活动被暂停，直到 90 年代薄膜技术成熟后，新加坡的国家水务局才重新开展污水回收利用计划。2000 年，一座规模完整的示范工厂正式启动。随后新加坡还开展了一个全面的水样采集分析项目以判断回收水转化为饮用水的可行性和可靠性。最初的两个回收水厂于 2003 年投入使用，同时开展了一场提高意识的宣传教育活动，告知公众回收水的安全与纯净，并称其为“新生水”。得益于政府对水资源研究开发的持续投入，实现水资源长期可持续发展的强大政治意愿，以及国家对水荒的应对恢复能力，新生水成功引入并得到公众认可。

新加坡是个城邦国家，国土面积为 710 平方千米，有大约 550 万居民。新加坡雨水充足（每年 2 400毫米），然而由于收集和储存雨水的土地有限，蒸发率高、地下水资源匮乏，新加坡被认为是缺水国家。因此，它非常依赖从马来西亚进口的水。它与马来西亚于 1961 年和 1962 年签署了长期进口协议。第一份协议于 2011 年 8 月失效，第二份将于 2061 年失效。新加坡于 1965 年独立时，当时的政府非常重视以实惠的价格为不断增加的人口提供安全的水源，并满足各领域的用水需求。20 世纪 70 年代，各行业和住宅区的飞速发展给新加坡有限的土地和水资源带来越来越大的压力。面对压力，国家水务局（PUB）大力发展本土水资源并加大水库储存能力，同时寻找创新的方式实现淡水资源多元化。

1972 年通过的《水务总规划》制订了实现供水多元化的计划，包括污水回收利用和海水淡化计划，以满足未来需求。根据这一计划，国家水务局（PUB）于 1974 年成立了污水回收利用试验工厂，并成功示范了通过废水处理来生产高质量的饮用水。然而，高昂的成本及对薄膜技术可靠性的担忧，最终使政府决定暂停废水回收利用计划。

到了 20 世纪 90 年代末，污水回收利用的薄膜技术已变得足够可靠，运营维护已具成本效益。PUB 在 2000 年启动了它的第一座示范工厂，并对回收水（新生水）作为饮用水和工业用水的适用性开展了深入调查。试验证明，新生水纯度高，能为制造流程节约成本（如半导体产业的晶体制造），因为它减少了使用自来水所需的预过滤工序。这说服了工业用户选择新生水来满足其对超洁净水的需求。以近 190 个水质参数为参考进行的 20 000 多次测试结果表明，新生水纯度比自来水高，也达到了国际认可的饮用水标准。这些研究发现使政府决定把新生水作为直接非饮用水（如工业用水）和非直接饮用水，这意味着把少量新生水混合到城市的水库里。新生水通过传统的水处理工序进行处理：尽管新生水可以让人直接使用，政府还采取了另外的措施让公众更加放心（Tan 等，2009）。

国家水务局（PUB）认识到公众的认可是新生水项目成功的关键，因此向公众展示新生水的安全和质量是当务之急。国家水务局（PUB）开展了一场针对各利益相关者的全面公众教育活动，包括政治家、舆论带头人、水务专家、草根带头人、学生和普通民众——通过讲解新生水生产所用的先进技术，赢得民众的信心，向民众展示新生水的质量经得起考验，消除人们对污水回收利用的误解。例如，由国家电视台制作并播出了一部纪录片，主题是“聚焦新生水生产技术及分享其他国家污水回收利用的经验”。另外，高级政府官员，包括总理吴作栋，也曾在公众场合多次饮用瓶装新生水。在这样的背景下，媒体成为塑造公众舆论的关键伙伴。在 2003 年新生水推出之际，媒体代表被邀请到加州橘子郡、亚利桑那州斯科茨代尔市进行实地考察，废水回收在这些城市得到成功实践。2002 年底的一次独立调查表明新生水认可率高达98%，其中82%的受访者表示他们会直接饮用新生水，16%会间接饮用（将新生水与本地水库的水混合后饮用）（PUB，2008）。

2003年新生水客户接待中心成立后，一场持续时间更久的公众教育项目也开始实施，该项目仍以“客户接待”为核心。该“中心”是一座先进的水博物馆，为访客提供互动参观，并设有教育工作坊，展示新生水生产过程。为提高学习体验，访客还可以看到中心旁边新生水厂在净化过程中使用的薄膜技术和紫外线技术。访客还可以品尝新生水，这些新生水被装在包装漂亮的瓶子里，分发到社区，达到宣传推广的目的。目前为止（2014年），约有2 500万瓶新生水被免费分发给大众饮用（HISS，2014）。

新生水主要目标用户是对给水要求高的工业用户。把新生水作为供给水，把大量饮用水挪为家庭使用，提高了新加坡防御低雨量和干旱季节的能力。截至2014年，新生水已经满足了新加坡30%的用水需求。政府计划到2060年，新生水能满足55%的用水需求。

生产新生水比生产淡化水的能耗低（分别为1千瓦时/立方米和3.5千瓦时/立方米）。国家水务局（PUB）已开始了几个研发项目，希望通过改善薄膜技术和流程效率进一步降低污水回收过程中的能源消耗。其中一些项目涉及水通道蛋白膜和仿生技术（Aik Num，未注明出版日期）。

根据供水服务全部成本收回原则（生产和输送），新生水2003年的单位价格为1.04美元/立方米，随着基础设施规模扩大，生产流程中的能效提升使价格下降到当前的0.98美元/立方米的水平（PUB，2014）。

为确保新生水保持高质量，回收厂保持高可靠性，新生水每两年由外部审计专家组进行一次严格审计。该小组由工程学、水化学、毒理学和微生物学的国际专家组成。至今，已对新生水进行了130 000次测试以确保其质量。

为保证对新生水的持续理解和支持，并提高年轻一代的参与度，新加坡正在开展一些公共资讯活动和宣传活动。例如，国家水务局（PUB）的3P网络分局通过传统媒体、社交媒体和社区项目向公私部门推广。新生水是新加坡供水多元化和提高对气候变化应对能力的一个重大里程碑。新生水还成为了新加坡水资源可持续利用计划的支柱。这个案例分析表明了成功的水资源管理不仅依赖于基础设施建设，更依赖于强大有远见的领导力，以及远景规划、公众教育、合理定价及研发。新生水项目可被移植到有政治支持、能开展有效公众沟通项目的地方，并能适应不同的情况。

致谢

第三世界水管理中心（墨西哥），新加坡国家水务局（PUB），联合国水机制十年宣传与推广方案（UNW-DPAC）

参考文献

除引用其他文献外，本章节内容还引自：

the NEWater homepage of the National Water Agency of Singapore (PUB) website: http://www.pub.gov. sg/water/newater/Pages/default.aspx (Accessed October 2014)

****

Aik Num, P. n.d. *Smart Water: Singapore Case Study.* Singapore, Technology and Water Quality Office, PUB. Presented at Smart Water Cluster Workshop, 4th IWA-ASPIRE Conference, Tokyo, 2-6 October 2011. http://cdn2.iwahq.info/all/Specialist%20groups/Clusters/Smart%20Water%20Cluster/ASPIRE%20workshop/Smart%20Water%20-%20Singapore%20Case%20Study_aik%20num.pdf (Accessed November 2014)

HISS (Horizon International Solutions Site). 2014. *Singapore's NEWater Wins UN-Water Award on World Water Day.* New Haven, CT, Horizon International. http://www.solutions-site.org/node/1302 (Accessed November 2014)

PUB. 2008. *PUB Annual Report 2008.* Singapore, PUB. http://www.pub.gov.sg/mpublications/Lists/AnnualReport/Attachments/4/PUB_AR20072008.pdf

_____. 2014. *Water Pricing in Singapore.* Singapore, PUB. http://www.pub.gov.sg/general/Pages/WaterTariff.aspx (Accessed November 2014)

Tan, Y.S., Lee, T.J. and Tan, K. 2009. *Clean, Green and Blue: Singapore's Journey Towards Environmental and Water Sustainability.* Singapore, ISEAS Publishing.

7 越南湄公河三角洲可持续发展目标进展情况

摘要

这片人口密集、质地肥沃的土地是越南农业水产业产量最高的地区。然而，人口增长和社会经济的飞速变化给自然资源带来越来越大的压力，导致土地退化和水污染。由于河漫滩减少，红树林遭破坏，自然对水灾害的抵抗能力随之减弱。由于气候变化影响，低洼的三角洲平原变得越来越脆弱，甚至有陷入贫困的危机，情况十分严峻。国家立法机构及湄公河委员会希望通过水和土地的整合管理加强对气候变化的适应能力。在国家层面上，水资源整合管理尚未得到实践。一个农业工业化的发展情境最符合三角洲的特点和优点，在这个情境里三角洲发展为高价值农产品的区域中心，在保护环境的前提下促进经济发展。无论最后哪个情境成为现实，适应气候变化的影响，对土地和水可持续使用实践的重视都将是越南打造更美好未来的关键。

湄公河是世界排水量第十大河流，它从中国青藏高原的东部分水岭流至越南的湄公河三角洲，途经缅甸、老挝、泰国、柬埔寨，总长 4 900 千米。湄公河流域占地 795 000 平方千米，由七个地文区域组成，有着丰富多样的地形地貌和水系格局（MRC，未注明出版日期）。这些区域被划入湄公河上游（UMB）和湄公河下游（IMB）。湄公河的流量大部分来自下游的支流。然而，在旱季（2 月中旬至 5 月底），上游的雪融水占了总流量的 20%（MRC，2010）。

湄公河流经湄公河三角洲的支流网络，最终流入位于越南东南部的中国南海（在越南被称为东海）。内三角洲地势低（接近海平面），外三角洲由海岸平原沉积形成，面向海边一面被红树林、滩脊、沙丘、沙坑和滩涂环绕。潮汐入侵湄公河支流可到达其上流 65 千米处。

湄公河三角洲占地约 40 000 平方千米，大约有 1 700 万居民（约占越南人口 20%）。肥沃的土地使三角洲成为越南农业产量最高的地区，这里生产了全国 50% 的大米，65% 的水产品和 70% 的水果。自 1975 年越南战争结束时起，湄公河三角洲的土地使用一直遵循粮食安全政策，以确保国家在大米及其他主食粮的生产上做到自给自足。因此，农业占了三角洲 GDP 产值的 40%，是国家平均水平的两倍（图 7.2）。

1986 年，越南政府启动名为 Dôi Mói 的经济改革，以加速经济增长和发展。该政策旨在实现农业粮食生产多元化等目标，促使许多农民把单一大米作物体系转变为以大米为基础，同时生产水产（养殖虾和鲶鱼）、水果和蔬菜的农业系统。此外，高产的大米品种代替了传统品种，使产量增加一至两倍。湄公河流域的大米产量因此翻一番，使越南成为主要的大米出口国之一（FAO，2014）。

Dôi Mói 也考虑到工业的增长。湄公河三角洲最重要的工厂是食品加工厂和相关机械设备生产厂。纺织和其他低端制造业也已经出现。尽管已经推行经济改革，越南经济的重点一直是农业，还有渔业和林业。国家对农业的依赖导致滥砍滥伐、土地退化、水污染、使自然对抗洪水的能力下降，使家庭倒退到贫困水平的风险增大。

三角洲的红树林是水生生物的繁殖地，是抵御自然灾害的天然屏障。三角洲的红树林覆盖面积在 1965—2001 年年间减少了一半（Phan 和 Populus，2006）。

20 世纪 90 年代，红树林质量及成熟林数量急剧下降，原因是农业土地开垦、养虾池盲目发展和木材木炭生产扩大。树林覆盖率的降低削弱了自然恢复力，增加了沿岸社区受气候变化影响的风险。

政府间气候变化专门委员会（IPCC）把湄公河三角洲列为世界上最可能受到气候变化严重影响的三个大三角洲之一（Nicholls 等，2007）。气温、雨量、河流流量、与水相关的自然灾害发生的周期和范围正在变化。人们预测内三角洲的洪水规模将变得更大，持续更久，对依赖雨水灌溉的主要大米

图 7.1 湄公河流域

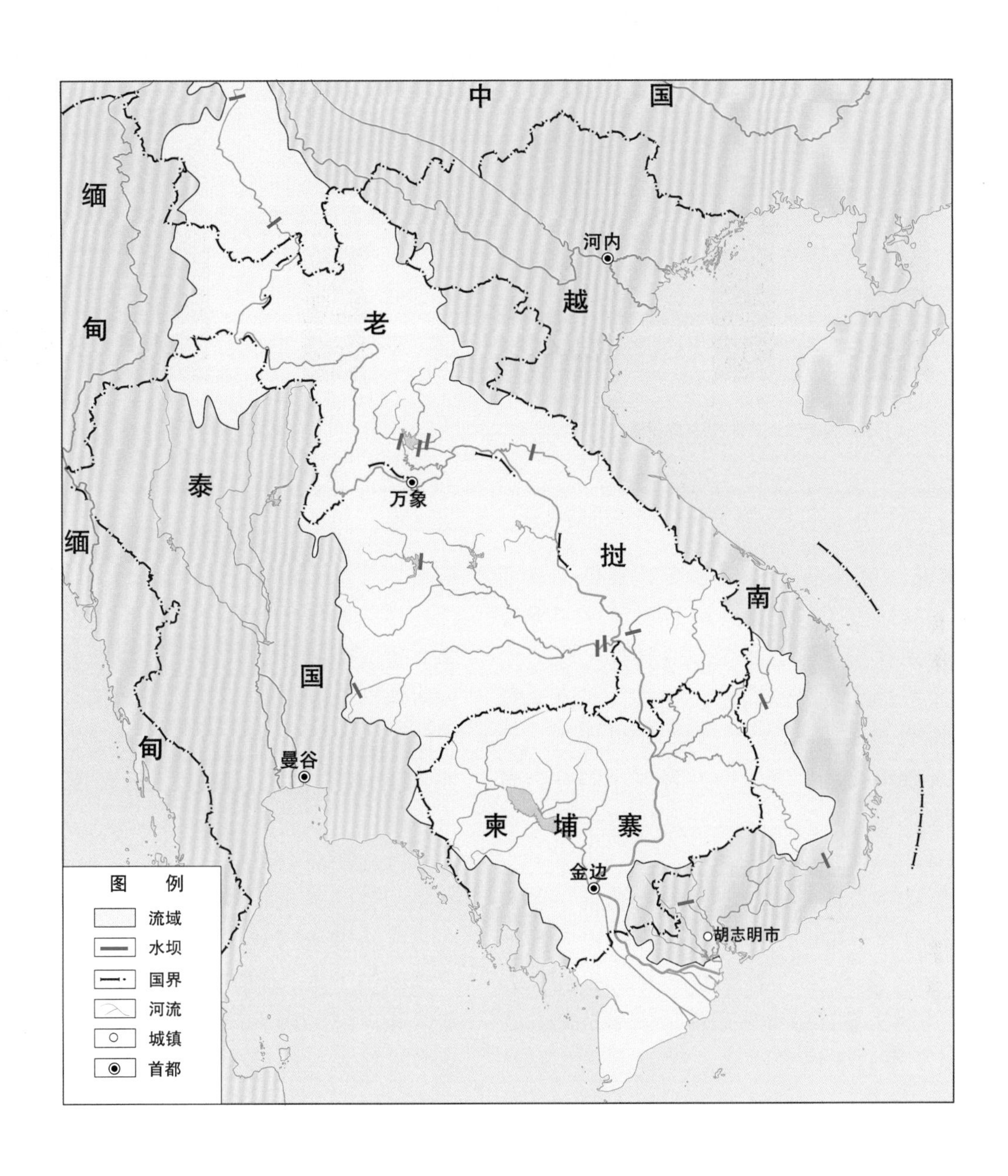

产区产生重大影响。此外，蓄滞洪区面积逐渐缩小，意味着城市及工业区必须采取成本高昂的保护措施抵御高水位洪灾。据预测，到 2050 年，外三角洲（沿海地区）海平面将上升 30 厘米，到 21 世纪末将上升 75 厘米。如此大幅度上涨将使海水入侵问题恶化，影响农业和渔业。据估计，海平面上升 20～40 厘米将导致大米种植季节出现严重损失，使国家粮食安全陷入危机。由于长期排水和抽取地下水造成的地面沉降有可能使海平面上升进一步加剧。到 21 世纪中叶，一部分湄公河三角洲地域可能会由于土地沉降而遭遇额外的洪灾，水位大约上升 1 米（0.42～1.54 米）（Erban 等，2014）。

在湄公河三角洲，传统的水资源管理重点在于洪水管理和淡水供应，特别是农业淡水供应。尽管人们对水的需求越来越大，水污染问题愈加严重，水资源保护却长期受到忽视。国家于 1998 年制定《水资源法》，并在 2012 年进一步修正，目的是“通过管理和保护水资源，实施合理地、低成本地、有效地开采水资源的政策，确保人们获得赖以生存的水源，经济分支……保护环境，为国家可持续发

图 7.2

越南及湄公河三角洲三大产业占GDP比重

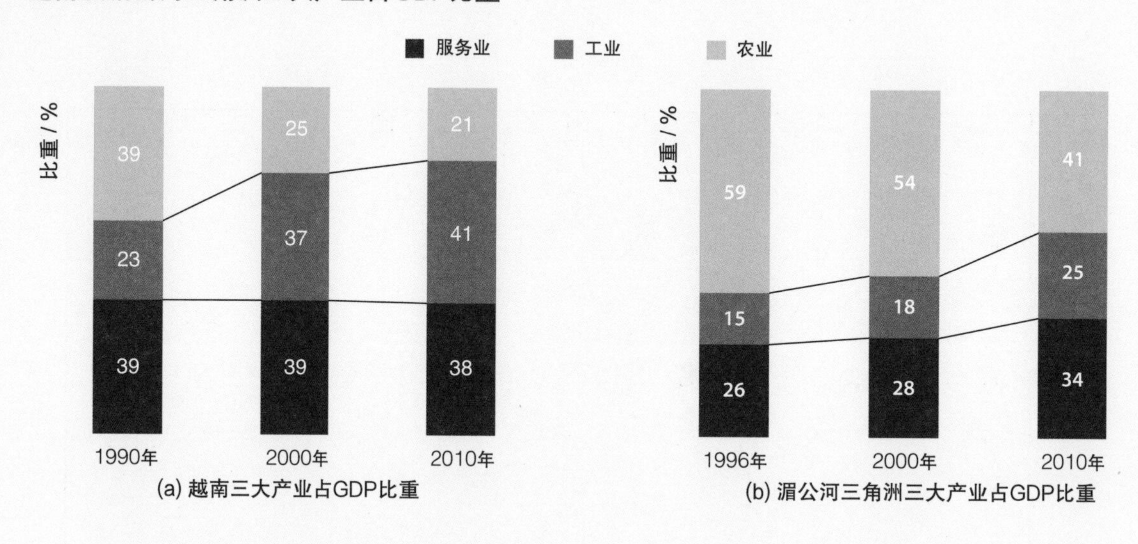

资料来源：GSO（未注明出版日期）越南政府和荷兰政府（2013）。

展服务”。然而水领域的立法依然十分复杂，有超过300多个法律法规。制度碎片化加剧了水资源管理的挑战，应对这一挑战需要各部门参与。

几个减政放权项目已经实施，并成立了几个国家机构，以听取各利益相关者的意见和忧虑。然而，融入现有政策里的水资源综合管理原则并未付诸实践，水政策规划未统一，只分别针对各领域而言（Renaud 和 Kuenzer，2012）。

为集中管理水资源并解决 IMB（湄公河下游流域）相关问题，柬埔寨、老挝、泰国和越南签署的湄公协议于1995年成立了湄公河委员会（MRC）。2011年通过的《水资源综合管理流域发展战略》是MRC成员国合作的里程碑。这一战略描述了流域发展规划的动态进程。该进程将接受每五年一次的审核和更新，并设立了一些优先项目，如制定气候变化适应战略、发展综合农业保证粮食安全，减少贫困、提高对泥沙输移、鱼类洄游和生物多样性变化的认识、提高水利事业发展的环境、社会可持续性、把对流域规划的思考融入到国家规划监管体系中（MRC，2011）。

人们对越南社会经济可持续发展的担忧促使政府制定“国家绿色增长战略”，并在2012年获得通过。该战略旨在减少温室气体排放，改善资源效率，提升应对气候变化的能力，减少贫困，提高人们对自然资产价值的认可。对湄公河而言，绿色增长能促进跨境合作，因为它鼓励领域内合作及跨领域合作，使湄公河流域的水管理更高效，治水更得力。

考虑到湄公河三角洲与荷兰广阔的河流三角洲的相似性，越南与荷兰于2010年建立气候变化适应与水资源管理战略伙伴关系。该框架借鉴了荷兰三角洲的方法，制定了湄公河三角洲规划并于2013年发布。它给越南政府提供了一份参考文献，给各级政府机构与组织提供了战略建议，审视了三角洲在中（2050年）、长（2100年）期可能存在的不确定性及挑战，并提出建议，探讨一系列可能的情境，描绘了三角洲的最佳长期发展愿景（越南政府与荷兰政府，2013）（专栏7.1）。其中双节点工业化［情境（d）］与国家加快工业和服务业发展的目标恰恰相符。然而，这一情境在近期难以实现。考虑到当前的情况及趋势，追求发展核心农业产业的［情境（c）］战略也许是湄公河三角洲的最佳前景。

专栏 7.1

湄公河三角洲发展情境

根据社会经济发展的两个主要驱动力——农业和工业，在用地政策和水资源政策正确实施的前提下，湄公河三角洲规划（2013）设计了四个发展情境。这些情境描绘了以下情况可能会引发的结果：全球、区域、国家发展目标、自然系统及其制约、制度阻碍、过去及目前趋势。其中，两个情境描绘了当前三角洲农业及工业经济发展趋势［下文（a）和（b）］，另外两个描述了通过积极规划，优化资源使用，三角洲经济的良好发展［（c）和（d）］。

情境（a）食品生产：在该情境下，三角洲由于经济不景气，经济中心区域综合发展政策缺失（执行不到位），基础设施投资尚不理想，气候变化影响越来越大，导致预期的经济转型未能实现。上述原因造成的粮食商品短缺使政府制定的大米生产目标难以实现，甚至越来越难实现。因此，土地和水资源将面临越来越大的压力。

情境（b）走廊工业化：在这个情境下，现有趋势和发展将延续。在洪水多发地区，肥沃的农田将变成工业化都市，农村腹地竞争越来越激烈，增长停滞。

情境（c）农业工业化：在该情境下，三角洲发展成为区域中枢，专门生产高价值农副产品供出口和内销。要实现这一情境必须重视三角洲独特的优势（低洼土地、河网和土壤肥沃）。非农副产品、工业和第三产业活动逐步转移到三角洲外。这一发展方向非常符合三角洲人口和经济结构，为经济长期可持续增长奠定了良好基础。

情境（d）双节点工业化：这个情境的关注点是快速城镇化和工业化。三角洲将发展为欣欣向荣的多元化经济，高价值农副产品行业蓬勃发展，与经济区第二和第三产业经济活动相得益彰。总产量及生产率大幅度提高。尽管土地和水资源面临巨大压力，但三角洲可通过有效连贯的措施进行管理，使所有资源得到有效利用，生态系统得到保护。

资料来源：越南政府和荷兰政府（2013）。

致谢

Martijn van de Groep

参考文献

除引用其他文献外，本章节内容引自：

van de Groep, M.P.J. 2014. *The Mekong River Delta*. Wassenar, the Netherlands, Water.NL. (Unpublished)

****

Erban, L.E., Gorelick, S.M. and Zebker, H.A. 2014. Groundwater extraction, land subsidence, and sea-level rise in the Mekong Delta, Vietnam. *Environmental Research Letters*, doi:10.1088/1748-9326/9/8/084010.

FAO (Food and Agriculture Organization of the United Nations). 2014. *Rice Market Monitor*. Vol. XVII, No. 3, October 2014, p. 15. Rome, FAO. http://www.fao.org/economic/est/publications/rice-publications/rice-market-monitor-rmm/en/

GGGI (Global Green Growth Institute). n.d. *Green Growth on the Rise in the Mekong River Basin: From Concept to Reality*. Seoul, GGGI. http://gggi.org/green-growth-on-the-rise-in-the-mekong-river-basin-from-concept-to-reality (Accessed November 2014)

Government of Viet Nam and Government of the Netherlands. 2013. *Mekong Delta Plan: Long-term Vision and Strategy for a Safe, Prosperous and Sustainable Delta*. Ha Noi/The Hague, the Netherlands, Government of Viet Nam/Government of the Netherlands. http://www.mekongdeltaplan.com

GSO (General Statistics Office of Viet Nam). n.d. Statistical Yearbooks (in Vietnamese). Hanoi, GSO. http://www.gso.gov.vn/default_en.aspx?tabid=468&idmid=3&ItemID=15490 (Accessed December 2014)

MRC (Mekong River Commission). 2010. *State of the Basin Report*. Vientiane, Lao PDR. http://www.mrcmekong.org/assets/Publications/basin-reports/MRC-SOB-report-2010full-report.pdf

_____. 2011. *Integrated Water Resources Management-based Basin Development Strategy for the Lower Mekong Basin*. Vientiane, Lao PDR. http://www.mrcmekong.org/assets/Publications/strategies-workprog/BDP-Strategic-Plan-2011.pdf

_____. n.d. *Physiography* page on the MRC website. Vientiane, Lao PDR. http://www.mrcmekong.org/mekong-basin/physiography (Accessed November 2014)

Nicholls, R.J., Wong, P.P., Burkett, V.R., Codignotto, J.O., Hay, J.E., McLean, R.F., Ragoonaden, S. and Woodroffe, C.D. 2007. Coastal systems and low-lying areas. M.L. Parry, O.F. Canziani, J.P. Palutikof, P.J. van der Linden and C.E. Hanson (eds), *Climate Change 2007: Impacts, Adaptation and Vulnerability.* Contribution of Working Group II to the Fourth Assessment Report of the Intergovernmental Panel on Climate Change, pp. 315-356. Cambridge, UK, Cambridge University Press. http://www.ipcc.ch/pdf/assessment-report/ar4/wg2/ar4_wg2_full_report.pdf

Phan, M.T. and Populus, J. 2006. Status and changes of mangrove forest in Mekong Delta: Case study in Tra Vinh, Vietnam. *Estuarine, Coastal and Shelf Science,* 71(2007): 98-109.
http://www.fao.org/fishery/gisfish/cds_upload/1179751412778_Thu_and_Populus__2007_.pdf

Renaud, F. and Kuenzer, C. (eds). 2012. *The Mekong Delta System: Interdisciplinary Analyses of a River Delta.* Dordrecht, the Netherlands, Springer Environmental Science and Engineering.

第 2 部分
数据和指标

章节

人口 — 淡水资源现状 — 水需求 — 环境状况 — 人类福祉 — 电力 — 灾害影响 — 千年发展目标进展情况

数据和指标

WWAP 编著｜Engin Koncagül，Maxime Turko 和 Sisira Saddhamangala Withanachchi

人口

指标 1

世界人口增长情况（1970—2030年）

	年份	1970	1990	2010	2030
农村人口	非洲	279 800	428 000	627 700	857 400
	美洲	184 100	201 400	188 700	176 400
	亚洲	1 599 300	2 142 500	2 312 000	2 150 800
	欧洲	269 000	253 200	202 000	166 200
	大洋洲	5 600	7 900	10 700	13 300
	合计	2 337 900	3 033 000	3 341 200	3 364 100
城市人口	非洲	86 700	202 000	403 400	777 000
	美洲	334 900	526 100	754 000	943 700
	亚洲	484 100	1 004 400	1 853 400	2 736 100
	欧洲	433 500	536 300	538 300	570 100
	大洋洲	14 000	19 100	25 900	34 000
	合计	1 353 300	2 287 800	3 575 000	5 060 800
世界人口		3 691 200	5 320 800	6 916 200	8 424 900

注释：数值以千人为单位。
资料来源：WWAP（世界水评估计划），数据来自联合国粮农组织数据库人口域http://faostat3.fao.org/download/O/OA/E（数据获取时间：2014年11月）。

指标 2

贫民窟/城市人口比率（2009年）

地区	人口	贫民窟人口/城市人口比率 / %
非洲		
中非洲	4 266 247	95.9 [1,4]
乍得	11 371 325	89.3 [1,5]
尼日尔	15 302 948	81.7 [1,10]
亚洲		
孟加拉	149 503 100	61.6 [1,2]
尼泊尔	26 544 943	58.1 [1,9]
伊拉克	30 163 199	52.8 [8]
拉丁美洲与加勒比地区		
海地	9 765 153	70.1 [7]
玻利维亚	9 993 406	47.3 [1,3]
危地马拉	13 988 988	38.7 [1,6]

注释：按选中国家各地区统计 [1] 趋势分析被用于评估贫民窟人口比例；[2] DHS (2004, 2007); [3] DHS (1989, 1994, 1998, 2003); [4] DHS (1994), MICS (2000); [5] DHS(1996/1997, 2004); [6] DHS (1995, 1998); [7] DHS (2005, 2008); [8] MICS (2000, 2006); [9] DHS (1996, 2001, 2006); [10] MICS (2000), DHS (1998).
资料来源：WWAP，数据来自联合国统计局千年发展目标数据库 https://data.un.org/Data.aspx?d=MDG&f=seriesRowID%3A710（数据获取时间：2014年11月）. DHS. DHS Program, Demographic and Health Surveys. Rockville, MD, ICF International. http://dhsprogram.com/MICS. Statistics and Monitoring, Multiple Indicator Cluster Survey. New York, UNICEF. http://www.unicef.org/statistics/index_24302.html

指标 3

从不同地区、城市/农村的集水负责人看家庭百分比分布情况（2005—2007年）

		室内用水	15岁及以上女性	15岁及以上男性	15岁以下女孩	15岁以下男孩
撒哈拉以南非洲（18个国家）	农村 / %	11.9	62.9	11.2	7.0	4.1
	城市 / %	51.5	29.0	10.2	4.3	3.1
亚洲（18个国家）	农村 / %	52.3	30.0	12.9	2.5	1.7
	城市 / %	83.9	8.7	5.3	0.8	1.0
拉丁美洲和加勒比地区（6个国家）	农村 / %	74.2	10.5	12.7	1.0	0.7
	城市 / %	90.8	3.1	4.9	0.2	0.4
东欧（6个国家）	农村 / %	75.5	11.7	9.2	0.1	0.2
	城市 / %	95.6	2.0	2.3	0.1	0.1

注释：未加权平均数；括号里的数字代表加权的国家数量。高达100%的差异是由于某些家庭由外人负责集水或缺乏信息。
资料来源：UNDESA 联合国经济暨社会理事会（2010, Fig. 7.1, p. 143, 根据其中引用的来源），UNDESA (United Nations Department of Economic and Social Affairs). 2010. The World's Women 2010: Trends and Statistics. ST/ESA/STAT/SER.K/19. New York, UNDESA. http://unstats.un.org/unsd/demographic/products/Worldswomen/WW_full%20report_color.pdf.

淡水资源现状

指标4

从主要流域看全球物理性缺水分布（2011年）

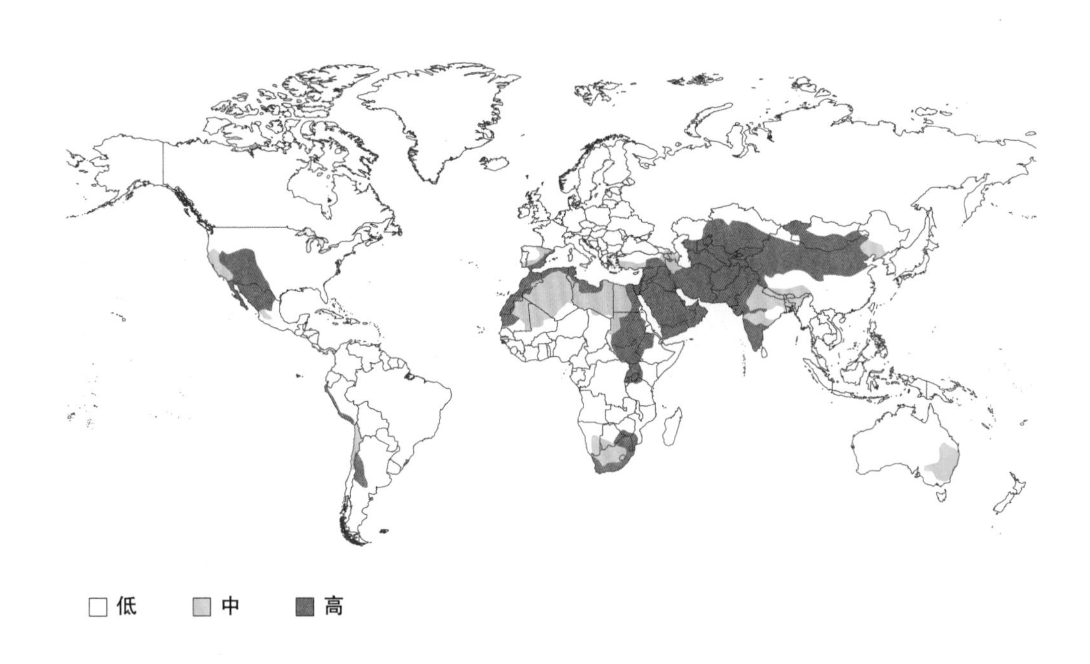

注释：根据灌溉耗水量，该地图按照主要河流流域显示全球缺水问题分布。

资料来源：FAO联合国粮农组织（2011, map 1.2, p. 29）。FAO. 2011. The State of the World's Land and Water Resources for Food and Agriculture (SOLAW): Managing Systems at Risk. Rome/London, FAO/Earthscan. http://www.fao.org/docrep/017/i1688e/i1688e.pdf

指标5

人均可再生水源（2013年）

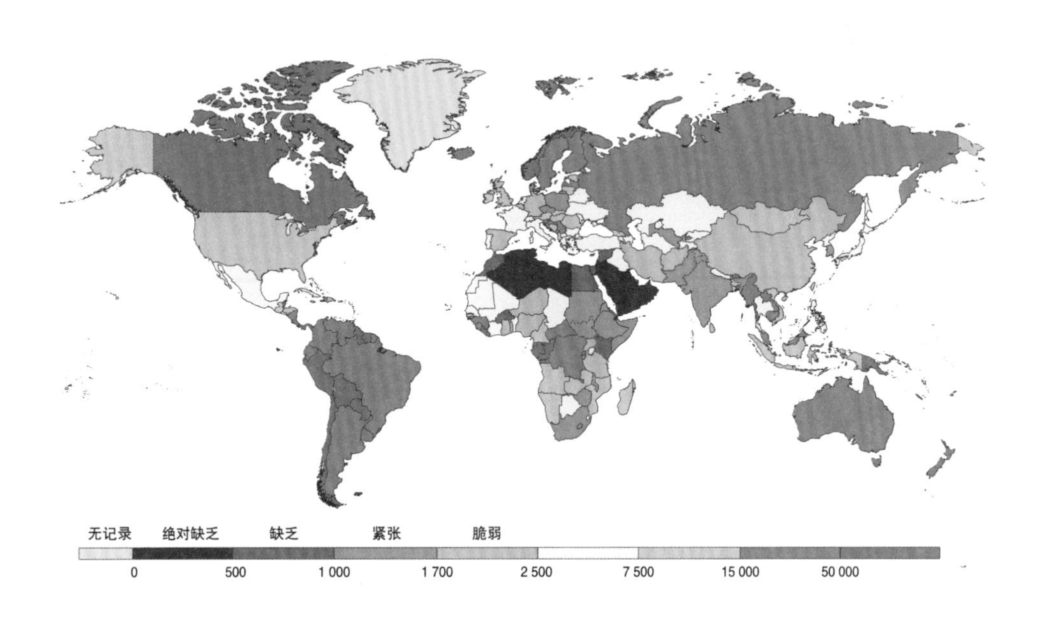

注释：数值表明每人每年可再生水资源数量（立方米）。

资料来源：WWAP，数据来自 FAO AQUASTAT 数据库。http://www.fao.org/nr/water/aquastat/main/index.stm (数据获取时间：2014年11月) (aggregate data for all countries except Andorra and Serbia, external data), and using UN-Water category thresholds.

水需求

指标 6

全球水需求（2000年和2050年基准情境）

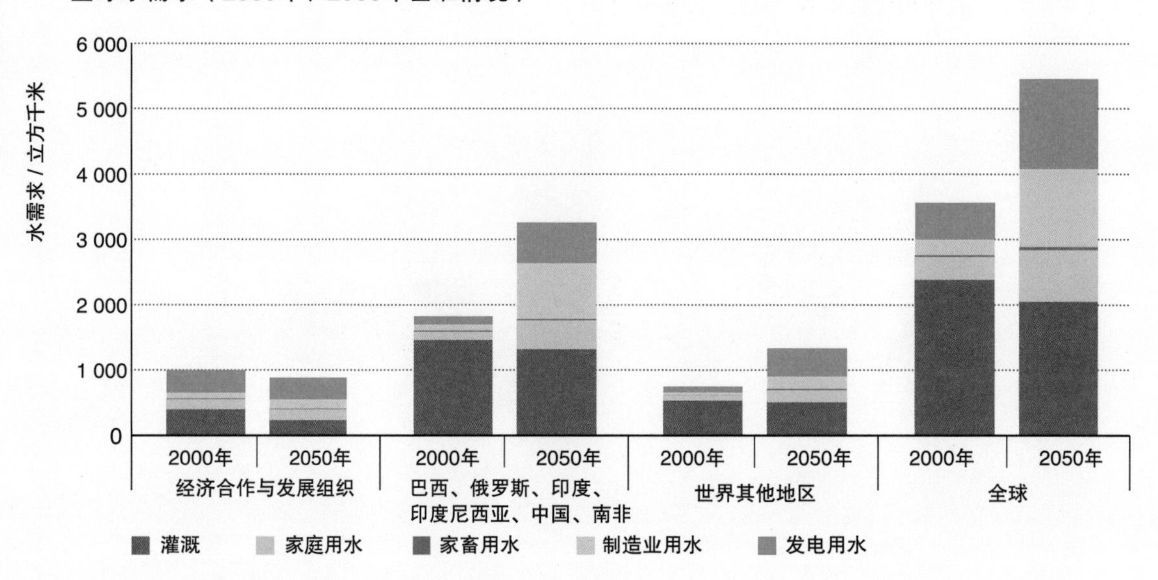

注释：BRIICS（巴西、俄罗斯、印度、印度尼西亚、中国、南非）；OECD（经济合作与发展组织）；RoW（世界其他地区）。本图只衡量“蓝水”需求，没有考虑雨养农业

资料来源：OECD (2012, 表 5.4, p. 217, 节选自 IMAGE). OECD 环境展望至2050 © OECD。

OECD（经济合作与发展组织）2012. OECD 环境展望至2050: 无为的后果巴黎, OECD. http://dx.doi.org/10.1787/9789264122246-en

指标 7

年均用水压力（1981—2010年）

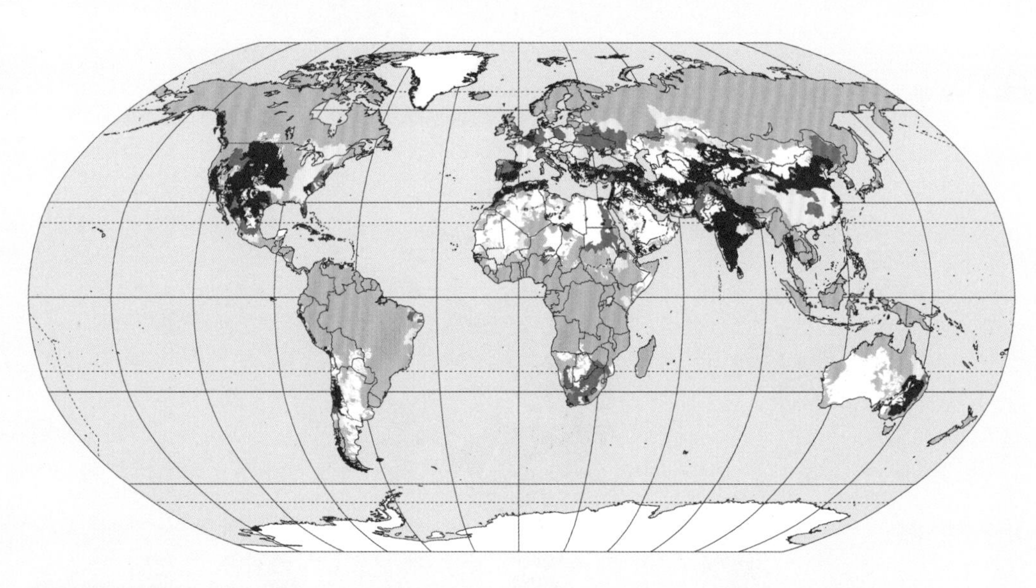

取水/可用水比率

0～0.1（无水压力） 0.1～0.2（低水压力） 0.2～0.4（中等水压力） 高于0.4（高水压力） 无数据

注释：水压力用来衡量使用者（家庭、工业和农业）对水资源和水生生态系统施加的压力，可轻松对比不同河流流域之间的水压力。为计算今天的水压力，我们使用取水量/可用水量比率（w.t.a.）。这一指标优势在于简单易用，可计算所有的河流流域，并被应用于多个研究领域（如Alcamo 等，2007）。对下游用水者来说，河水取水量、用水量、排水量越大，被消耗和/或退化的河流流量越大，水压力则越高。取水量/可用水量比率以WaterGAP3模型在5千米 × 5千米弧分的网格单元计算，最终合计成流域比例。

印度大部分地区、中国北部、中亚、东亚、地中海边缘国家、澳大利亚东部（即墨瑞达令流域）、西拉美洲、美国西部大部分地区和墨西哥北部水压力较高。整体而言，这些地区河流流域的河流流量遭受季节性变化和年际变化的风险较大。欲了解方法论，背景工作和调查相关详情，请登录 http://www.usf.unikassel.de/cesr/index.php?option=com_content&task=view&id=57&Itemid=86

资料来源：环境系统研究中心, 卡塞尔大学 (2014年12月使用 WaterGAP3 模型生成)。

Alcamo, J., Flörke, M. and Marker, M. 2007. Future long-term changes in global water resources driven by socio-economic and climatic changes. Hydrological Sciences Journal, 52(2): 247-275.

指标 8

地下水开发压力（2010年）

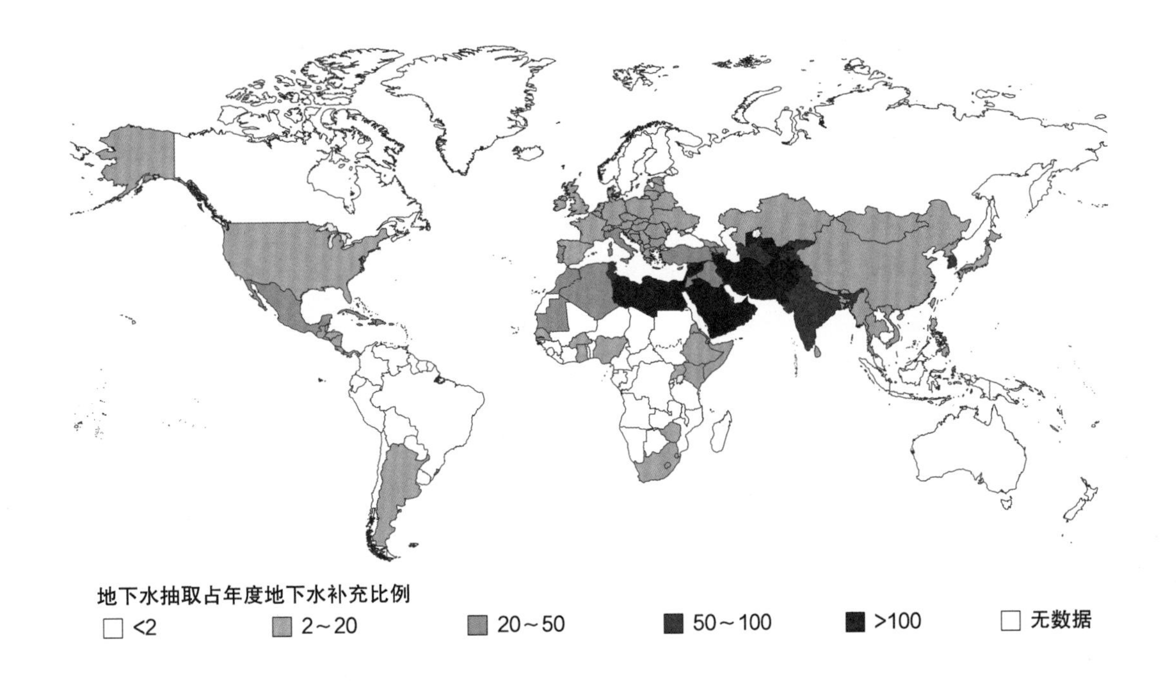

资料来源：IGRAC（2014年）。IGRAC (International Groundwater Resources Assessment Centre). 2014. Information System. Global Overview application. Delft, the Netherlands, IGRAC. http://ggmn.e-id.nl/ggmn/GlobalOverview.html (Accessed December 2014). © IGRAC 2014.

指标 9

不同用水压力河流流域的人口数量（2000年和2050年）

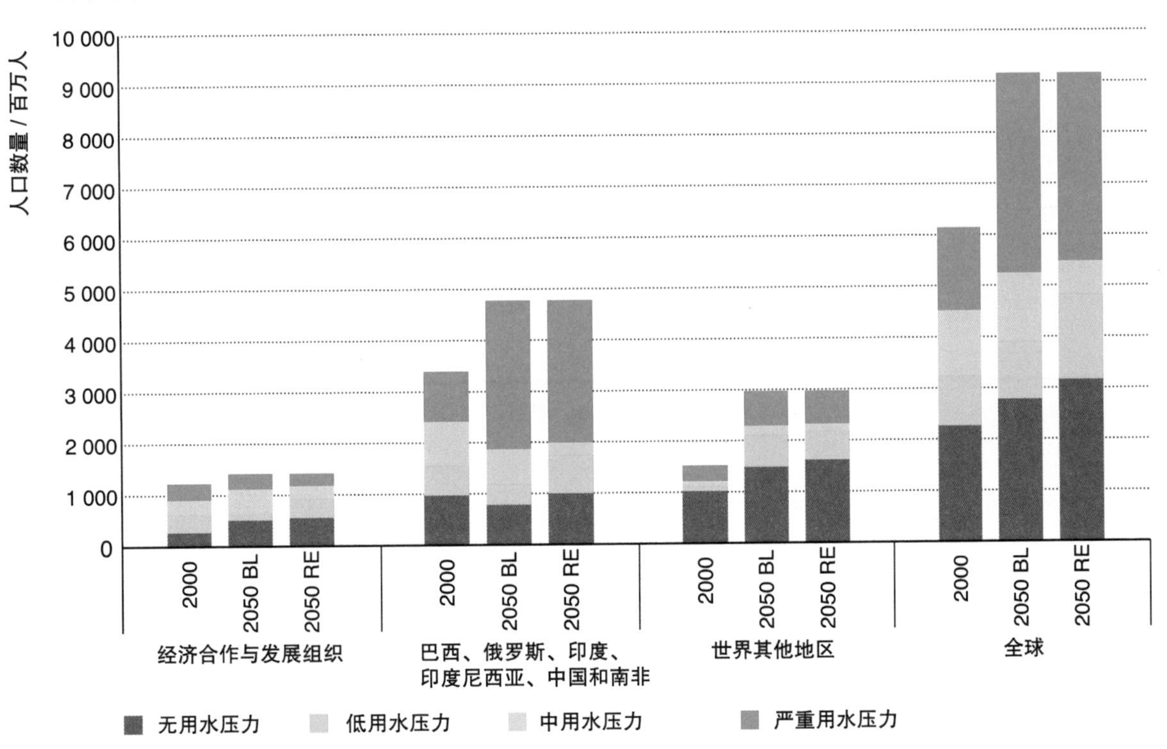

BL: Baseline Scenario, RE: Resource Etlciency Scenario.

资料来源：OECD (2012, Fig. 5.16, p. 245, output from IMAGE). OECD Environmental Outlook to 2050 © OECD.OECD (Organisation for Economic Co-operation and Development). 2012. OECD Environmental Outlook to 2050: The Consequences of Inaction. Paris, OECD. http://dx.doi.org/10.1787/9789264122246-en

指标 10

各部门取水量（2007年）

	各部门总取水量						总取水量	总淡水取水量	淡水取水量占内部可再生水资源的百分比
	市政		工业		农业				
	千米³ / 年	%	千米³ / 年	%	千米³ / 年	%	千米³ / 年	千米³ / 年	
世界	**462**	**12**	**734**	**19**	**2 722**	**69**	**3 918**	**3 763**	**9**
非洲	**27**	**13**	**11**	**5**	**174**	**82**	**213**	**199**	**5**
非洲北部	9	10	6	6	79	84	94	82	176
撒哈拉以南非洲	18	15	6	5	95	80	120	117	3
美洲	**130**	**15**	**288**	**34**	**430**	**51**	**847**	**843**	**4**
美洲北部	74	14	252	48	497	38	524	520	10
中美洲和加勒比	8	28	2	9	17	63	27	27	4
美洲南部	36	17	26	12	154	71	216	216	2
亚洲	**228**	**9**	**244**	**10**	**2 035**	**81**	**2 507**	**2 373**	**20**
中东	25	9	20	7	231	84	276	268	55
中亚	7	5	10	7	128	89	145	136	56
亚洲东南部	196	9	214	10	1 676	80	2 086	1 969	18
欧洲	**72**	**22**	**188**	**57**	**73**	**22**	**333**	**332**	**5**
欧洲中部西部	53	22	128	54	58	24	239	237	11
欧洲东部	20	21	60	64	15	16	95	95	2
大洋洲	**5**	**26**	**3**	**15**	**11**	**60**	**18**	**17**	**2**
澳大利亚和新西兰	5	26	3	15	11	60	18	17	2
其他太平洋岛屿	0.03	33	0.01	11	0.05	56	0.1	0.1	0.1

* 包括使用淡化水、直接使用处理过的城市污水、直接使用农业排水。

IRWR（内部可再生水资源）

资料来源：FAO AQUASTAT 数据库。

http://www.fao.org/nr/water/aquastat/main/index.stm (Accessed November 2014).

指标 11

流量动态变化造成的环境压力（1981—2010年）

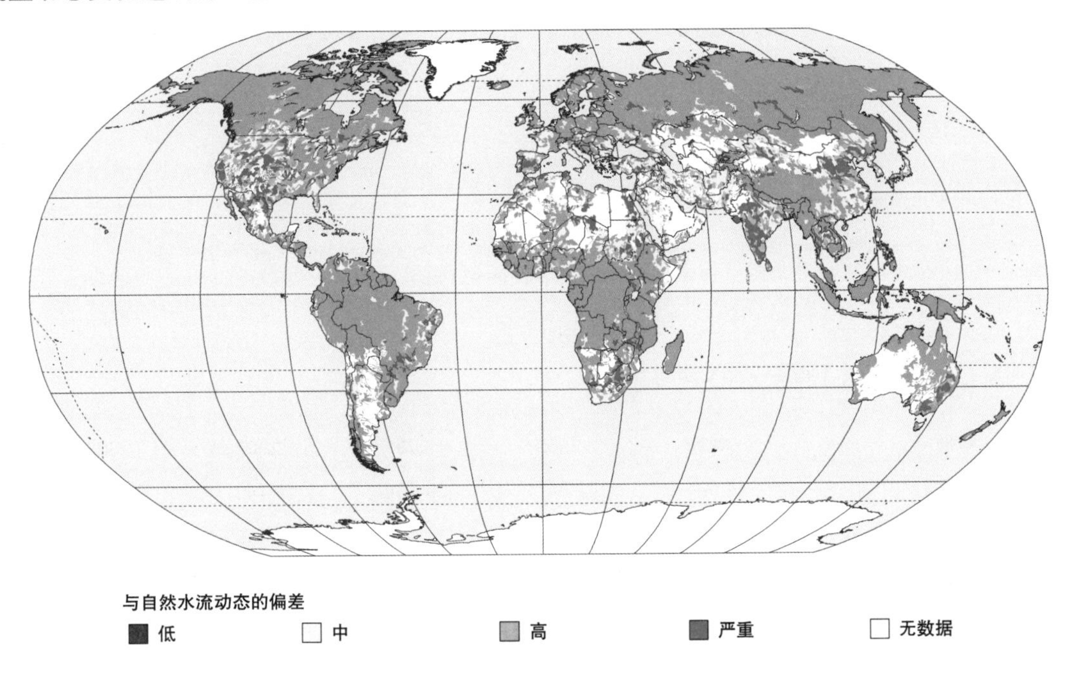

注释：取水和水坝运营大大改变了自然水流动态。“水流动态改变造成的环境水压力”指标用于评估这些影响（Schneider et al. 2013）导致的水文变化。全球水系WaterGAP3模型，通过对六千多个大水坝进行记录，在全球5千米×5千米弧分网格上（大约等于赤道上8千米×8千米），对人工改造河道和自然河道的径流量日常时间序列进行模拟。

美国、墨西哥、西班牙、葡萄牙、中东、印度、中国东北部和西北部的水流动态特别容易因水坝和水管理而改变。在澳大利亚东部，墨瑞达令流域已呈现出与自然条件的巨大偏差，非洲热点地区、埃及尼罗河流域、苏丹、南苏丹和乌干达、南非的奥兰治和林波波河流域、摩洛哥流域也有同样的情况。这加大了生态系统退化的危险，特别是外来物种入侵的风险。欲了解方法论、背景工作和研究详情，请登录：

http://www.usf.uni-kassel.de/cesr/index.php?option=com_content&task=view&id=57&Itemid=86

资料来源：环境系统研究中心，卡塞尔大学（2014年12月使用 WaterGAP3 模型生成）。

Schneider, C., Laize, C.L.R., Acreman, M.C. and Flörke, M. 2013. How will climate change modify river flow regimes in Europe? Hydrology and Earth System Sciences 17: 325-339.

指标 12

淡水地球生命力指数（1970—2010年）

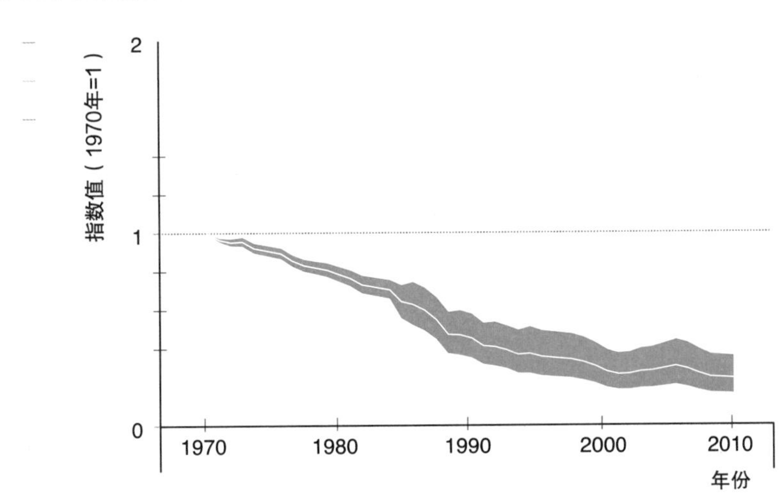

资源来源：WWF世界自然基金会（2014, Fig. 13, p. 22）。

WWF. 2014. Living Planet Report 2014: Species and Spaces, People and Places. R. McLellan, L. Iyengar, B. Jeffries and N. Oerlemans (eds). Gland, Switzerland, World Wide Fund for Nature (WWF).

http://wwf.panda.org/about_our_earth/all_publications/living_planet_report/

指标 13

全球主要土地用途变化（1961—2009年）

	1961年 / 百万公顷	2009年 / 百万公顷	净增量 / %
耕地	1 368	1 527	12.0
雨养土地	1 229	1 226	-0.2
灌溉土地	139	301	117.0

注释：这一时期内，灌区面积增加了不止一倍，供应粮食所需的公顷数从0.45公顷/人大幅减少至0.22公顷/人。
资料来源：FAO（2011, 表 1.2, p. 24, 根据其中引用的 FAOSTAT 来源）。
FAO (Food and Agriculture Organization of the United Nations). 2011. The State of the World's Land and Water Resources for Food and Agriculture (SOLAW): Managing Systems at Risk. Rome/London, FAO/Earthscan. http://www.fao.org/docrep/017/i1688e/i1688e.pdf

指标 14

ISO 14001 认证趋势（1999—2013年）

年份	1999	2000	2001	2002	2003	2004
总数	**13 994**	**22 847**	**36 464**	**49 440**	**64 996**	**90 554**
非洲	129	228	311	418	626	817
中美洲和南美洲	309	556	681	1 418	1 691	2 955
北美洲	975	1 676	2 700	4 053	5 233	6 743
欧洲	7 253	10 971	17 941	23 305	30 918	39 805
东亚和太平洋地区	5 120	8 993	14 218	19 307	25 151	38 050
中亚和南亚	114	267	419	636	927	1 322
中东	94	156	194	303	450	862
区域比例 / %						
年份	**1999**	**2000**	**2001**	**2002**	**2003**	**2004**
非洲	**0.9**	**1.0**	**0.9**	**0.8**	**1.0**	**0.9**
中美洲和南美洲	2.2	2.4	1.9	2.9	2.6	3.3
北美洲	7.0	7.3	7.4	8.2	8.1	7.4
欧洲	51.8	48.0	49.2	47.1	47.6	44.0
东亚和太平洋地区	36.6	39.4	39.0	39.1	38.7	42.0
中亚和南亚	0.8	1.2	1.1	1.3	1.4	1.5
中东	0.7	0.7	0.5	0.6	0.7	1.0
年度增长 (绝对数)						
年份		**2000**	**2001**	**2002**	**2003**	**2004**
总数		**8 853**	**13 617**	**12 976**	**15 556**	**25 558**
非洲		99	83	107	208	191
中美洲和南美洲		247	125	737	273	1 264
北美洲		701	1 024	1 353	1 180	1 510
欧洲		3 718	6 970	5 364	7 613	8 887
东亚和太平洋地区		3 873	5 225	5 089	5 844	12 899
中亚和南亚		153	152	217	291	395
中东		62	38	109	147	412

续表

年份	2005	2006	2007	2008	2009	2010	2011	2012	2013
总数	**111 163**	**128 211**	**154 572**	**188 574**	**222 974**	**251 548**	**261 926**	**285 844**	**301 647**
非洲	1 130	1 079	1 096	1 518	1 531	1 675	1 740	2 109	2 538
中美洲和南美洲	3 411	4 355	4 260	4 413	3 748	6 999	7 105	8 202	9 890
北美洲	7 119	7 673	7 267	7 194	7 316	6 302	7 450	8 573	8 917
欧洲	47 837	55 919	65 097	78 118	89 237	103 126	101 177	113 356	119 107
东亚和太平洋地区	48 800	55 428	72 350	91 156	113 850	126 551	137 335	145 724	151 089
中亚和南亚	1 829	2 201	2 926	3 770	4 517	4 380	4 725	4 946	6 672
中东	1 037	1 556	1 576	2 405	2 775	2 515	2 425	2 934	3 434
区域比例 / %									
年份	**2005**	**2006**	**2007**	**2008**	**2009**	**2010**	**2011**	**2012**	**2013**
非洲	1.0	0.8	0.7	0.8	0.7	0.7	0.7	0.7	0.8
中美洲和南美洲	3.1	3.4	2.8	2.3	1.7	2.8	2.7	2.9	3.3
北美洲	6.4	6.0	4.7	3.8	3.3	2.5	2.8	3.0	3.0
欧洲	43.0	43.6	42.1	41.4	40.0	41.0	38.6	39.7	39.5
东亚和太平洋地区	43.9	43.2	46.8	48.3	51.1	50.3	52.4	51.0	50.1
中亚和南亚	1.6	1.7	1.9	2.0	2.0	1.7	1.8	1.7	2.2
中东	0.9	1.2	1.0	1.3	1.2	1.0	0.9	1.0	1.1
年度增长 (绝对数)									
年份	**2005**	**2006**	**2007**	**2008**	**2009**	**2010**	**2011**	**2012**	**2013**
总数	**20 609**	**17 048**	**26 361**	**34 002**	**34 400**	**28 574**	**10 378**	**23 918**	**16 993**
非洲	313	−51	17	422	13	144	65	369	454
中美洲和南美洲	456	944	−95	153	−665	3 251	75	1 128	1 688
北美洲	376	554	−406	−73	122	−1 014	1 148	1 123	344
欧洲	8 032	8 082	9 178	13 021	11 119	13 889	−1 949	12 179	7 197
东亚和太平洋地区	10 750	6 628	16 922	18 806	22 694	12 701	10 784	8 389	5 020
中亚和南亚	507	372	725	844	747	−137	345	221	1 703
中东	175	519	20	829	370	−260	−90	509	587

注释：ISO 14001认证是一个环境管理体系框架，能帮助企业更好管理他们的活动对环境的影响，并示范健全的环境管理（ISO，2009）。

资料来源：WWAP世界水评估计划，数据来自 ISO（2013）。

ISO (International Organization for Standardization). 2009. Environmental Management. The ISO 14000 Family of International Standards. Geneva, ISO Central Secretariat. http://www.iso.org/iso/theiso14000family_2009.pdf

__. 2013. ISO Survey of management system standard certifications 2013. Geneva, ISO Central Secretariat.http://www.iso.org/iso/home/standards/certification/iso-survey.htm#

全球饥饿指数（1990—2014年）

	1990	1995	2000	2005	2014
			数据来自		
	1988—1992	1993—1997	1998—2002	2003—2007	2009—2013
非洲					
布隆迪	32.0	36.9	38.7	39.0	35.6
科摩罗	23.0	26.7	34.0	30.0	29.5
厄立特里亚	ND	41.2	40.0	38.8	33.8
亚洲					
孟加拉	36.6	34.4	24.0	19.8	19.1
老挝	34.5	31.4	29.4	25.0	20.1
也门	30.1	27.8	27.8	28.0	23.4
欧洲					
阿尔巴尼亚	9.1	6.3	7.9	6.2	5.3
摩尔多瓦	ND	7.9	9.0	7.4	10.8
拉丁美洲及加勒比地区					
玻利维亚	18.6	16.8	14.5	13.9	9.9
危地马拉	15.6	16.0	17.3	17.0	15.6
海地	33.6	32.9	25.3	27.9	23.0
大洋洲					
斐济	6.2	5.3	<5	<5	<5

注释：按选中国家各地区统计。（无数据）
全球饥饿指数是依据人口营养不良比例、5岁以下儿童体重不足比例，以及5岁以下儿童死亡率作为统计。最后得分的百分制计算，0分表示没有饥饿，100分表示饥饿情况最严重。在实践中不能达到0分或100分的极限值（IFPRI，2014）。

资料来源：WWAP，数据来自 IFPRI（2014）。
IFPRI (International Food Policy Research Institute). 2014. Dataverse – 2014 Global Hunger Index data. Washington, DC, IFPRI. http://thedata.harvard.edu/dvn/dv/IFPRI/faces/study/StudyPage.xhtml?globalId=doi:10.7910/DVN/27557 (Accessed November 2014)

五岁以下儿童发育迟缓比例（1990—2013年）

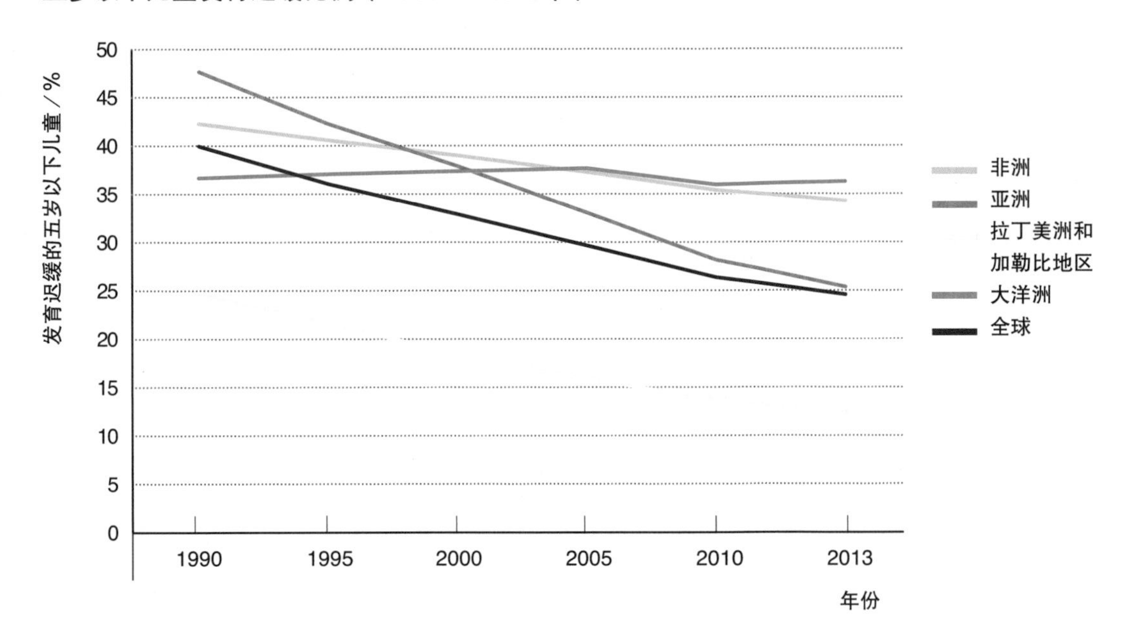

* 世界卫生组织对发育迟缓的定义：相对年龄身高低于世卫组织儿童生长发育标准中位数减2个标准差。
资料来源：WWAP，数据来自世界卫生组织全球观察站数据库（WHO）。
http://apps.who.int/gho/data/node.main.NUTUNREGIONS?lang=en (数据获取时间：2014年10月)

缺电、缺乏优良水源/良好卫生条件、使用固体燃料进行烹饪的人口

	人口（2012）（千人）	缺电人口百分比（2012）	缺乏改善水源的人口百分比（2012）	缺乏改善的卫生条件的人口百分比（2012）	使用固体燃料进行烹饪的人口百分比
非洲					
贝宁	10 051	71.6	23.9	85.7	94.3 (2006)
布基纳法索	16 460	83.6	18.3	81.4	95.6 (2003)
喀麦隆	21 700	45.9	25.9	54.8	77.7 (2004)
刚果	4 337	65.0	24.7	85.4	82.9 (2005)
刚果民主共和国	65 705	91.0	53.5	68.6	95.3 (2007)
埃及	80 722	0.4	0.7	4.1	0.3 (2005)
埃塞俄比亚	91 729	76.7	48.5	76.4	96.6 (2011)
加纳	25 366	28.0	12.8	85.6	85.4 (2008)
肯尼亚	43 178	80.0	38.3	70.4	84.8 (2008)
莱索托	2 052	72.0	18.7	70.4	58.2 (2009)
马达加斯加	22 294	85.3	50.4	86.1	99.2 (2008)
马拉维	15 906	91.0	15.0	89.7	98.2 (2010)
摩洛哥	32 521	1.1	16.4	24.6	8.5 (2003)
莫桑比克	25 203	61.0	50.8	79.0	97.4 (2003)
纳米比亚	2 259	70.0	8.3	67.8	57.2 (2006)
尼日利亚	168 834	55.0	36.0	72.2	72.0 (2008)
塞内加尔	13 726	45.5	25.9	48.1	56.1 (2005)
乌干达	36 346	85.2	25.2	66.1	98.6 (2006)
坦桑尼亚联合共和国	47 783	76.0	46.8	87.8	95.9 (2010)
赞比亚	14 075	74.0	36.7	57.2	85.5 (2007)
津巴布韦	13 724	60.0	20.1	60.1	67.1 (2005)
拉丁美洲					
玻利维亚	10 496	11.7	11.9	53.6	31.5 (2008)
哥伦比亚	47 704	2.9	8.8	19.8	13.9 (2010)
海地	10 174	72.0	37.6	75.6	94.0 (2005)
洪都拉斯	7 936	13.9	10.4	20.0	53.6 (2005)
尼加拉瓜	5 992	26.3	15.0	47.9	60.9 (2001)
秘鲁	29 988	8.9	13.2	26.9	40.9 (2004)
亚洲					
孟加拉	154 695	40.2	15.2	43.0	91.2 (2007)
柬埔寨	14 865	65.9	78.7	63.2	88.3 (2010)
印度	1 236 687	24.6	7.4	64.0	71.1 (2005)
印度尼西亚	746 864	24.1	15.1	41.2	54.8 (2007)
尼泊尔	27 474	23.7	11.9	63.3	75.7 (2011)
巴基斯坦	179 160	31.3	8.6	52.4	66.9 (2006)
菲律宾	96 707	29.7	8.2	25.7	64.5 (2008)
世界	7 056 768	18.0	10.6	35.8	38.0 (2012)**

注释：按所选国家各地区统计。*该数据所参考的年份列于括号中。**除煤炭以外。

资料来源：WWAP，数据来自WHO/UNICEF（2014）；IEA（2014）和 WHO（无数据）。

WHO/UNICEF (World Health Organization/United Nations Children's Fund). 2014. Data Resources and Estimates. New York, WHO/UNICEF Joint Monitoring Programme for Water Supply and Sanitation. http://www.wssinfo.org/data-estimates/table/

IEA (International Energy Agency). 2014. World Energy Outlook 2014. Paris, OECD/IEA http://www.worldenergyoutlook.org/resources/energydevelopment/energyaccessdatabase/

WHO (World Health Organization).n.d. Global Health Observatory Data Repository – Solid cooking fuels by country http://apps.who.int/gho/data/view.main.EQSOLIDFUELSTOTv

全球营养不良发生率（1990—2014年）

	1990—1992		2000—2002		2005—2007		2008—2010		2012—2014	
	营养不良人口[a]/百万人	营养不良发生率[b]/%	营养不良人口[a]/百万人	营养不良发生率[b]/%	营养不良人口[a]/百万人	营养不良发生率[b]/%	营养不良人口[a]/百万人	营养不良发生率[b]/%	营养不良人口[a]/百万人	营养不良发生率[b]/%
世界	**1 014.5**	**18.7**	**929.9**	**14.9**	**946.2**	**14.3**	**840.5**	**12.1**	**805.3**	**11.3**
发达地区	**20.4**	**<5**	**21.1**	**<5**	**15.4**	**<5**	**15.7**	**<5**	**14.6**	**<5**
发展中地区	**994.1**	**23.4**	**908.7**	**18.2**	**930.8**	**17.3**	**824.9**	**14.5**	**790.7**	**13.5**
非洲	**182.1**	**27.7**	**209.0**	**25.2**	**211.8**	**22.6**	**216.8**	**20.9**	**226.7**	**20.5**
非洲北部	6.0	<5	6.5	<5	6.4	<5	5.6	<5	12.6	6.0
撒哈拉以南非洲	176.0	33.3	202.5	29.8	205.3	26.5	211.2	24.4	214.1	23.8
亚洲	**742.6**	**27.3**	**637.5**	**25.2**	**668.6**	**17.4**	**565.3**	**14.1**	**525.6**	**12.7**
高加索地区及中亚	9.6	14.1	10.9	15.3	8.5	11.3	7.4	9.5	6.0	7.4
亚洲东部	295.2	23.2	222.2	16.0	218.4	15.3	185.8	12.7	161.2	10.8
亚洲东南部	138.0	30.7	117.7	22.3	103.3	18.3	79.3	13.4	63.5	10.3
亚洲南部	291.7	24.0	272.9	18.5	321.4	20.2	274.5	16.3	276.4	15.8
亚洲西部	8.0	6.3	13.8	8.6	17.0	9.3	18.3	9.1	18.5	8.7
拉丁美洲及加勒比地区	**68.5**	**15.3**	**61.0**	**11.5**	**49.2**	**8.7**	**41.5**	**7.0**	**37.0**	**6.1**
加勒比地区	8.1	27.0	8.2	24.4	8.4	23.7	7.6	20.7	7.5	20.1
拉丁美洲	60.3	14.4	52.7	10.7	40.8	7.7	33.9	6.1	29.5	5.1
大洋洲	**1.0**	**15.7**	**1.3**	**16.5**	**1.3**	**15.4**	**1.3**	**13.5**	**1.4**	**14.0**

* 预测。
a 营养不良或长期饥饿是指至少一年不能获得足够食物的状态，即食物摄入水平不足以满足膳食能量需求（FAO，无数据）。
b 营养不良的发生率反映了处于长期饥饿的人口比例。
资料来源：修改自 FAO, IFAD and WFP（2014，表1, p. 8）。

FAO (Food and Agriculture Organization of the United Nations). n.d. The FAO Hunger Map 2014–Basic Definitions. Rome, FAO.
http://www.fao.org/hunger/en/ (Accessed November 2014)
FAO, IFAD and WFP. 2014. The State of Food Insecurity in the World 2014: Strengthening the Enabling Environment for Food Security and Nutrition. Rome, FAO.
http://www.fao.org/3/a-i4030e.pdf

电力

指标19

电力生产、来源和获取（2011年）

	电力生产/10亿千瓦·时	电力来源						获得供电
		煤炭	天然气	石油	水力	可再生能源	核能	
		总电量百分比	总电量百分比	总电量百分比	总电量百分比	总电量百分比	总电量百分比	人口比例/%
世界	22 159	41.2	21.9	3.9	15.6	4.2	11.7	83.1
东亚和太平洋地区	5 411	73.0	6.5	1.3	14.5	2.4	1.6	94.8
欧洲和中亚	909	35.7	29.6	0.5	17.9	1.2	15.0	99.9
拉丁美洲和加勒比地区	1 348	4.2	22.5	10.6	55.1	4.4	2.4	94.7
中东和北非	654	1.8	64.3	25.5	5.5	0.5	0.1	94.6
南亚	1 216	59.0	14.5	4.4	13.8	4.3	3.2	73.2
撒哈拉以南非洲	445	55.3	6.3	3.5	20.0	0.6	3.0	31.8

资料来源：WWAP，数据来自世界银行2014世界发展指标（电力生产、来源和获取）。
http://wdi.worldbank.org/table/3.7 (Accessed November 2014)

指标20

发展中国家获得电力供应人口比例（2012年）

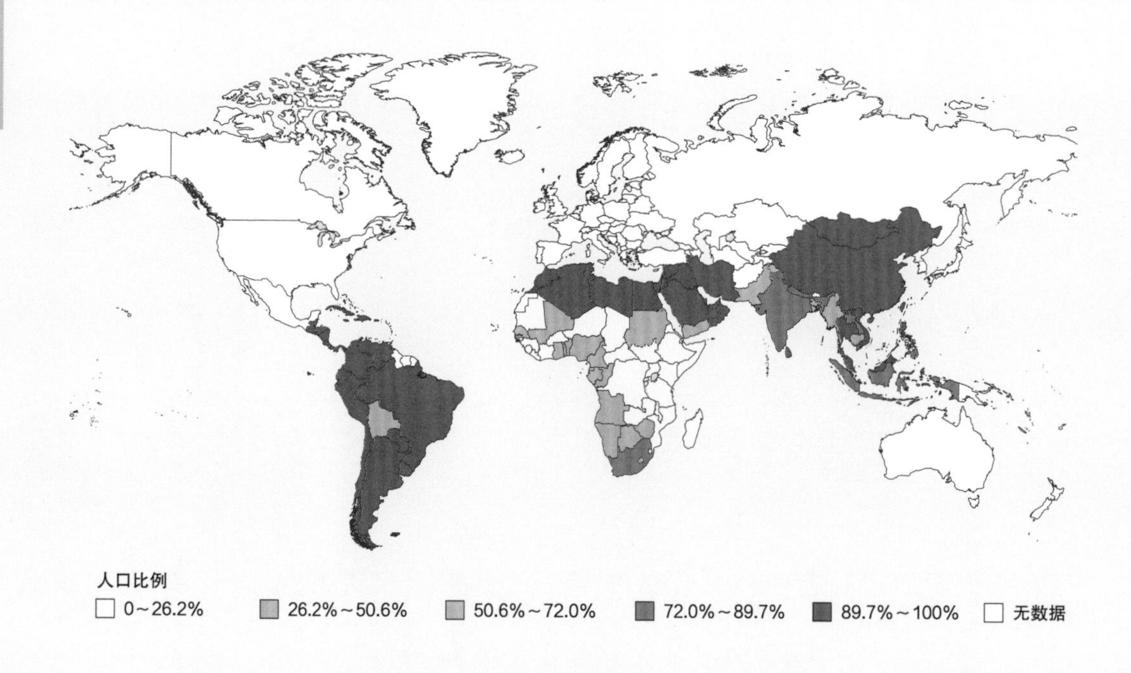

注释：数据以占人口百分比的形式呈现。
资料来源：WWAP（2015），数据来自IEA（国际能源机构）世界能源展望2014电力获取数据库。
http://www.worldenergyoutlook.org/resources/energydevelopment/energyaccessdatabase/ (Accessed December 2014)

自然灾害分布

被报道过自然灾害的全球分布（1970—2012年）
总数：8 835起灾害

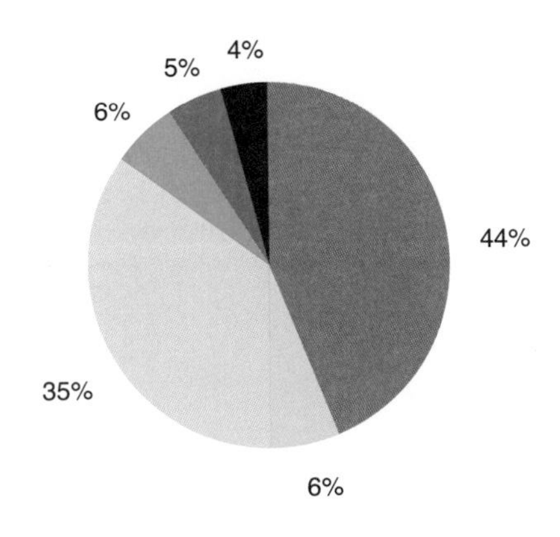

从灾害类型看每十年被报道的灾害数量（1971—2010年）

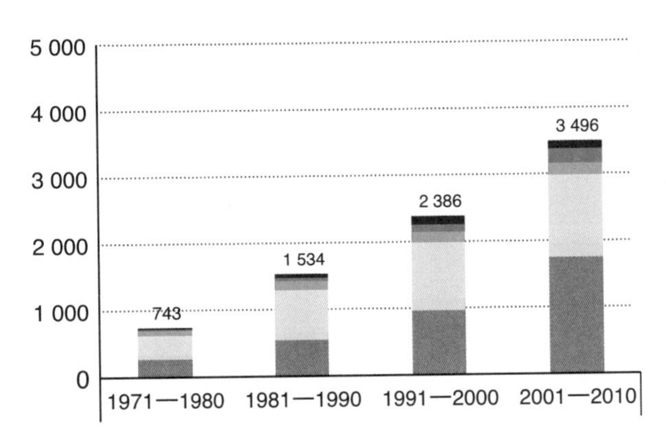

被报道死亡人数的全球分布（1970—2012年）
总数：1 944 653

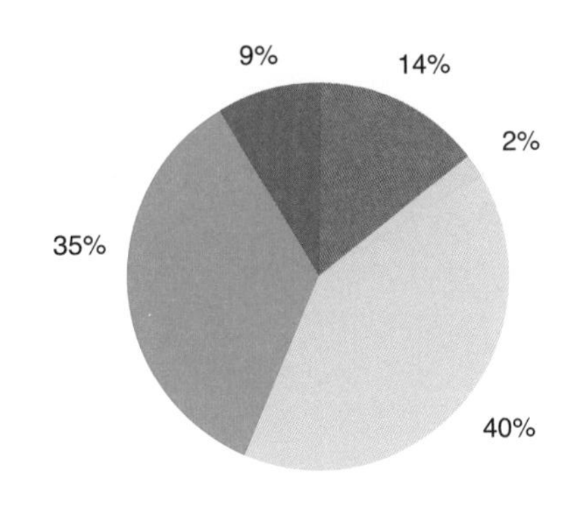

从灾害类型看每十年被报道的死亡人数（1971—2010年）

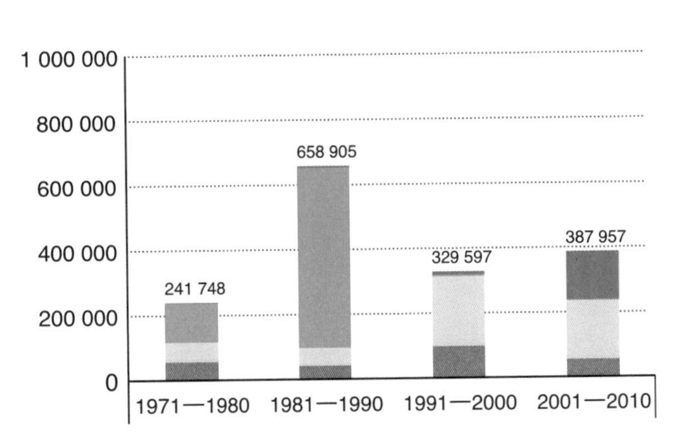

从灾害类型看被报道的经济损失的全球分布（1970—2012年）
总损失：2 3907亿美元（以十亿美元为单位，调整到2012年水平）

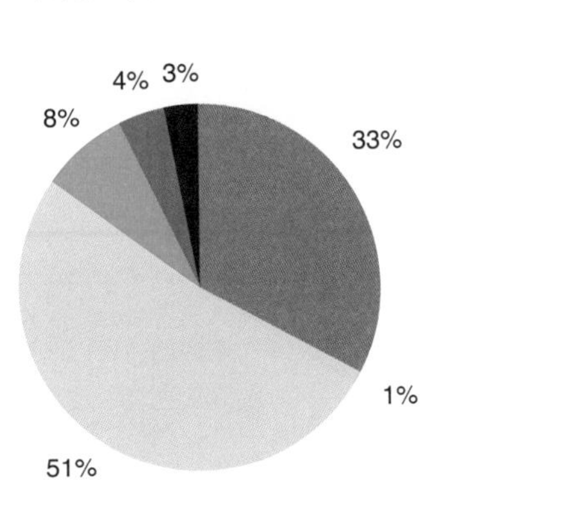

从灾害类型看每十年被报道的经济损失（1971—2010年）
（以十亿美元为单位，调整到2012年水平）

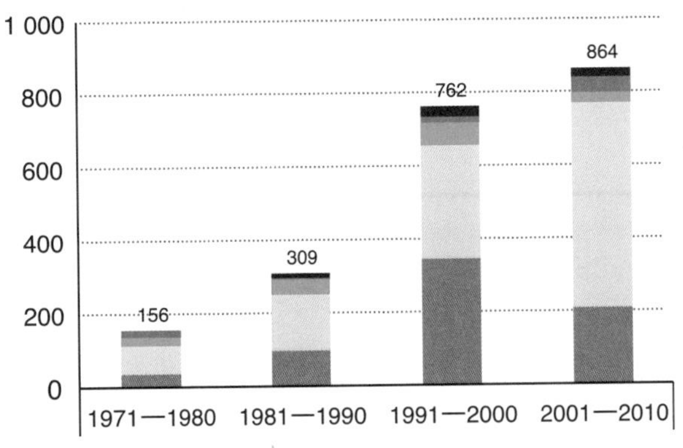

洪水　块体运动　暴风　干旱　极端温度　山火

资料来源：WMO (2014, p. 9).
WMO (World Meteorological Organization). 2014. Atlas of Mortality and Economic Losses from Weather, Climate and Water Extremes (1970 – 2012). WMO-No. 1123. Geneva, WMO. http://www.wmo.int/pages/prog/drr/transfer/2014.06.12-WMO1123_Atlas_120614.pdf

指标 22

不同灾害导致的人口迁移（2008—2012年）

不同灾害类型的人口迁移比例（2008—2012年）

灾害亚组[①]	人口迁移比例
水文灾害	68.2
气象灾害	29.6
地球物理灾害	2.1
气候灾害	0.2

不同灾害类型的迁移人数（2008—2012年）

灾害类型	迁移人数
洪水	89 181 000
风暴	29 051 000
地震（地震活动）	23 604 000
严寒	923 000
滑坡（湿）	577 000
火山	472 000
山火	103 000
滑坡（干）	3 200
酷热	1 700

[①]根据国际灾害数据库（CRED，2009）的分类，地球物理灾害包括地震和海啸、火山爆发、干块体运动（岩石崩落、滑坡、雪崩和地层下陷）及火山泥石流；气象灾害包括风暴（热带风暴、暴风雪、龙卷风、沙雪）；水文灾害包括洪水（海岸、河流融雪，大坝泄洪），湿块体运动（滑坡、雪崩、突发地陷）和海平面上升；气候灾害包括极端冬季气候、热浪、山火和干旱。

资料来源：改编自IDMC（2013, Table 6.1, p. 37）。

CRED (Centre for Research on the Epidemiology of Disasters). 2009. EM-DAT: The International Disaster Database – Classification. Brussels, CRED. http://www.emdat.be/new-classification

IDMC (Internal Displacement Monitoring Centre). 2013. Global Estimates 2012: People Displaced by Disasters. Geneva, IDMC. http://www.internal-displacement.org/assets/publications/2013/2012-global-estimates-corporate-en.pdf

千年发展目标进展情况

指标 23

千年发展目标进展情况：饮用水得到改善（2012年）

116个国家已经完成MDG饮用水目标，31个国家正在完成，45个国家偏离轨道

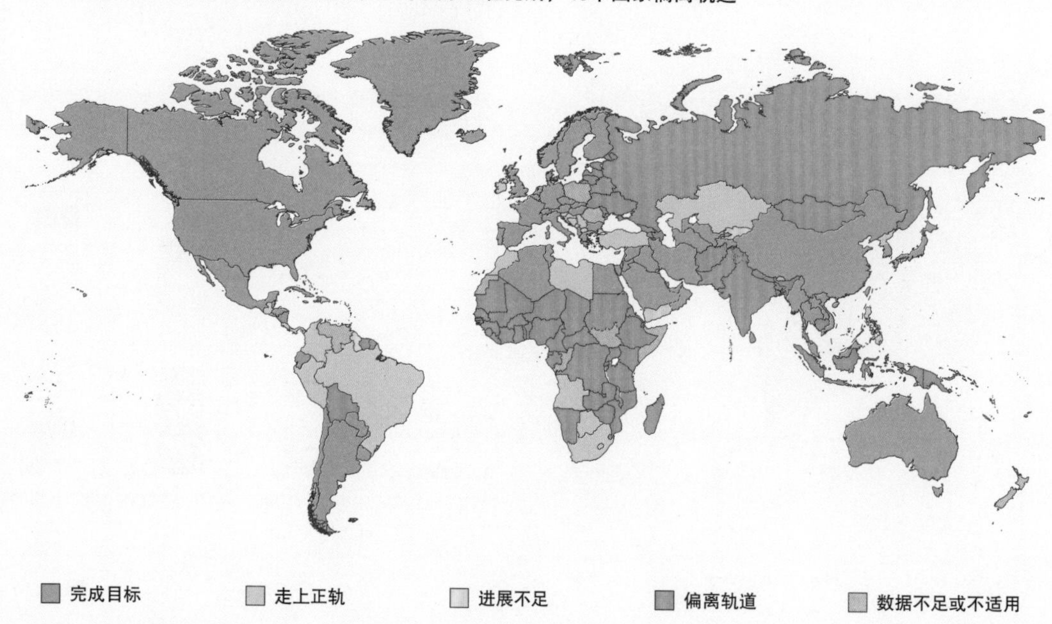

全球千年发展目标（MDG）适用于国家、区域和领土。这只是初步评估，最终的MDG报告评估将在2015年进行。方法：如果2012年改善饮用水或改善卫生状况的覆盖率的估算（i）大于或等于2015年目标或者2012年覆盖率大于或等于99.5%：目标达成；（ii）在2012年覆盖率的3%以内：走上正轨；（iii）在2012年覆盖率的3%～7%以内：进展不够；（iv）大于2012年覆盖率的7%，或者2012年覆盖率小于等于1990年覆盖率：偏离轨道。

资料来源：WHO世界卫生组织/UNICEF联合国科教文组织（2014, p. 2）。

WHO/UNICEF (World Health Organization/United Nations Children's Fund). 2014. A Snapshot of Progress: 2014 Update. New York, WHO/UNICEF Joint Monitoring Programme for Water Supply and Sanitation.

http://www.wssinfo.org/fileadmin/user_upload/documents/Four-page-JMP-2014-Snapshot-standard-on-line-publishing.pdf

指标 24

千年发展目标进展情况：卫生条件得到改善（2012年）

77个国家已经完成MDG卫生目标，29个国家正在完成，79个国家偏离轨道

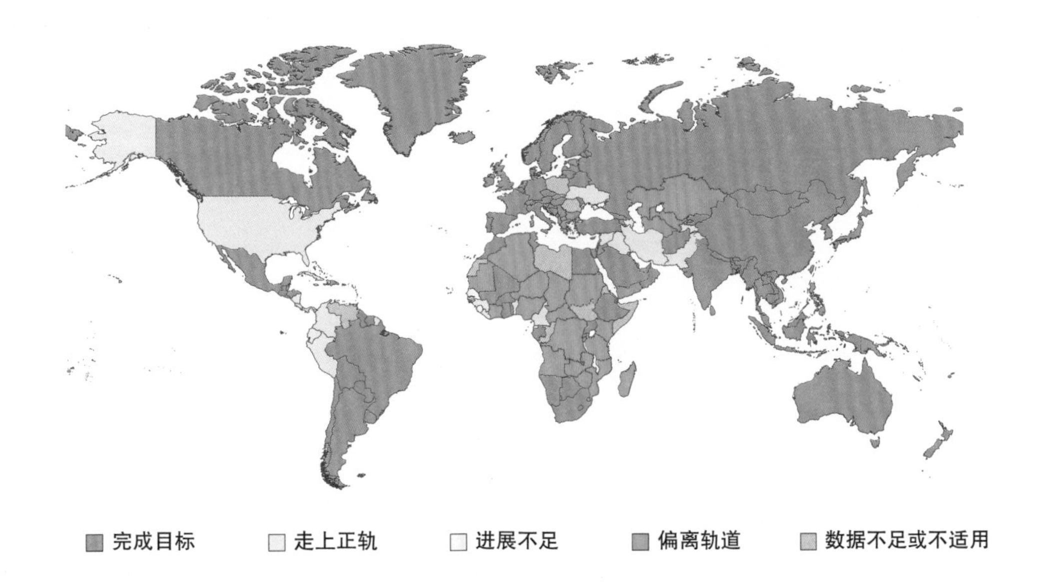

资料来源：WHO/UNICEF (2014, p. 2).
WHO/UNICEF (World Health Organization/United Nations Children's Fund). 2014. A Snapshot of Progress: 2014 Update. New York, WHO/UNICEF Joint Monitoring Programme for Water Supply and Sanitation.
http://www.wssinfo.org/fileadmin/user_upload/documents/Four-page-JMP-2014-Snapshot-standard-on-line-publishing.pdf

指标 25

国家水资源政策：主要政策工具现况（2012年）

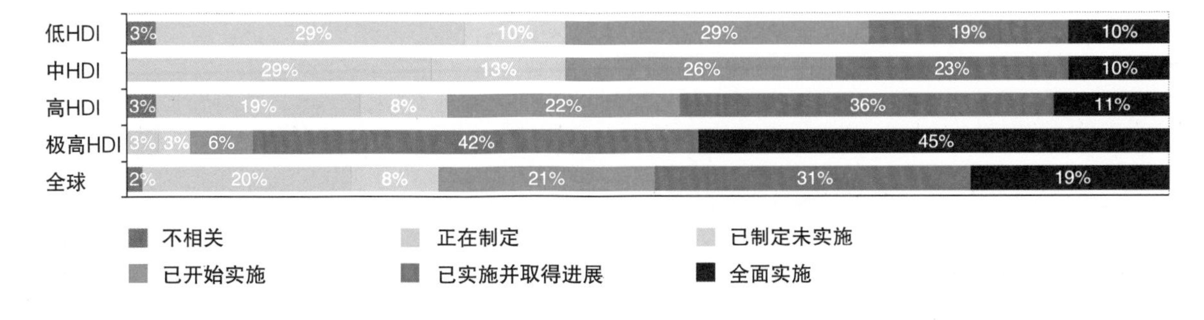

注释：该指标按HDI（人类发展指数）组显示被调查国家。
资料来源：UNEP联合国环境规划署（2012, Fig. 2.1, p. 12）。
UNEP (United Nations Environment Programme). 2012. The UN-Water Status Report on the Application of Integrated Approaches to Water Resources Management. Nairobi, UNEP. http://www.unwater.org/publications/publications-detail/en/c/204523/. Databook available at http://www.unepdhi.org/rioplus20

指标 26

国家水法：主要水法现况（2012年）

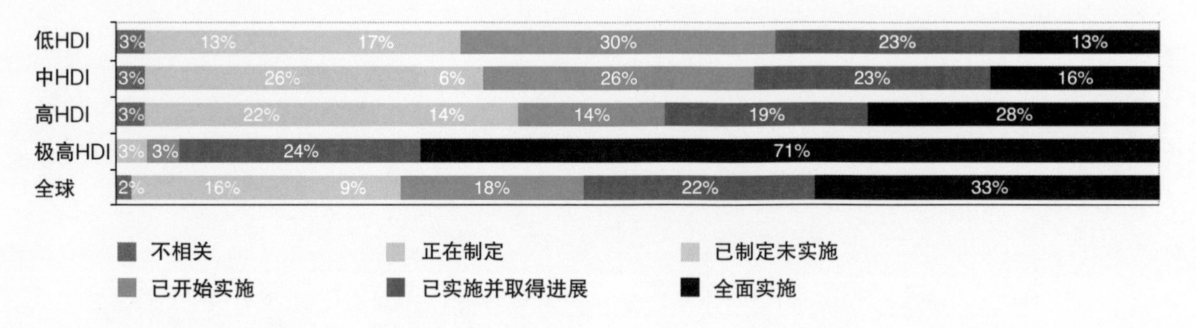

注释：该指标按HDI（人类发展指数）组显示被调查国家。
资料来源：UNEP（2012, Fig. 2.2, p. 12）.
UNEP (United Nations Environment Programme). 2012. The UN-Water Status Report on the Application of Integrated Approaches to Water Resources Management. Nairobi, UNEP. http://www.unwater.org/publications/publications-detail/en/c/204523/. Databook available at http://www.unepdhi.org/rioplus20

指标 27

过去20年改善水资源管理对社会发展的影响（2012年）

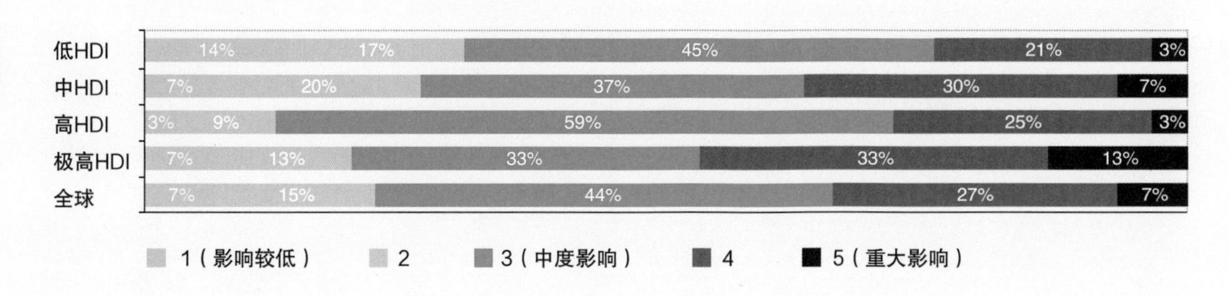

注释：该指标按HDI（人类发展指数）组显示被调查国家。
资料来源：UNEP (2012, Fig. 9.2, p. 70).
UNEP (United Nations Environment Programme). 2012. The UN-Water Status Report on the Application of Integrated Approaches to Water Resources Management. Nairobi, UNEP. http://www.unwater.org/publications/publications-detail/en/c/204523/. Databook available at http://www.unepdhi.org/rioplus20

指标 28

过去20年改善水资源管理对经济发展的影响（2012年）

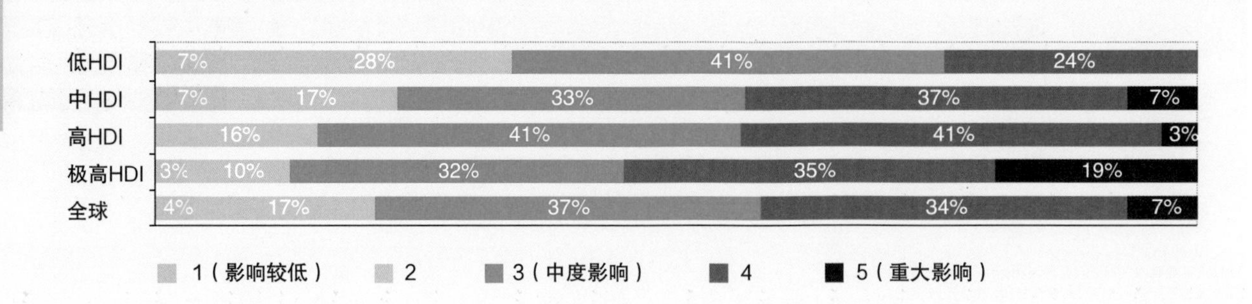

注释：该指标按HDI（人类发展指数）组显示被调查国家。
资料来源：UNEP（2012, Fig. 9.3, p. 71）.
UNEP (United Nations Environment Programme). 2012. The UN-Water Status Report on the Application of Integrated Approaches to Water Resources Management. Nairobi, UNEP. http://www.unwater.org/publications/publications-detail/en/c/204523/. Databook available at http://www.unepdhi.org/rioplus20

指标 29

过去20年改善水资源管理对环境发展的影响（2012年）

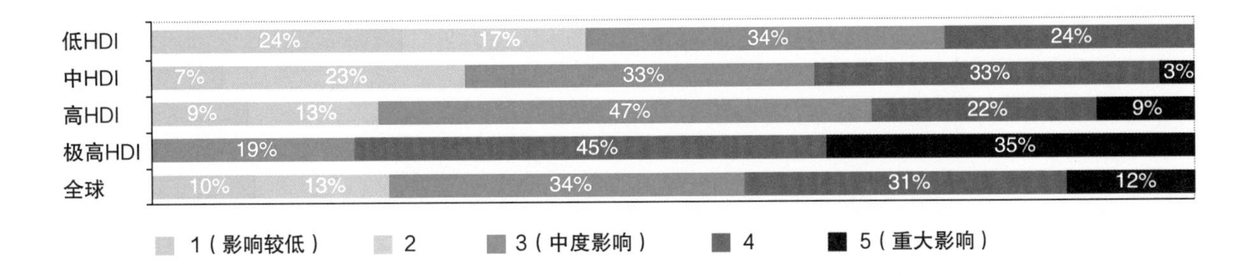

注释：该指标按HDI（人类发展指数）组显示被调查国家。
资源来源：UNEP (2012, Fig. 9.4, p. 72).
UNEP (United Nations Environment Programme). 2012. The UN-Water Status Report on the Application of Integrated Approaches to Water Resources Management. Nairobi, UNEP. http://www.unwater.org/publications/publications-detail/en/c/204523/. Databook available at http://www.unepdhi.org/rioplus20

指标 30

全球千年发展目标进展情况

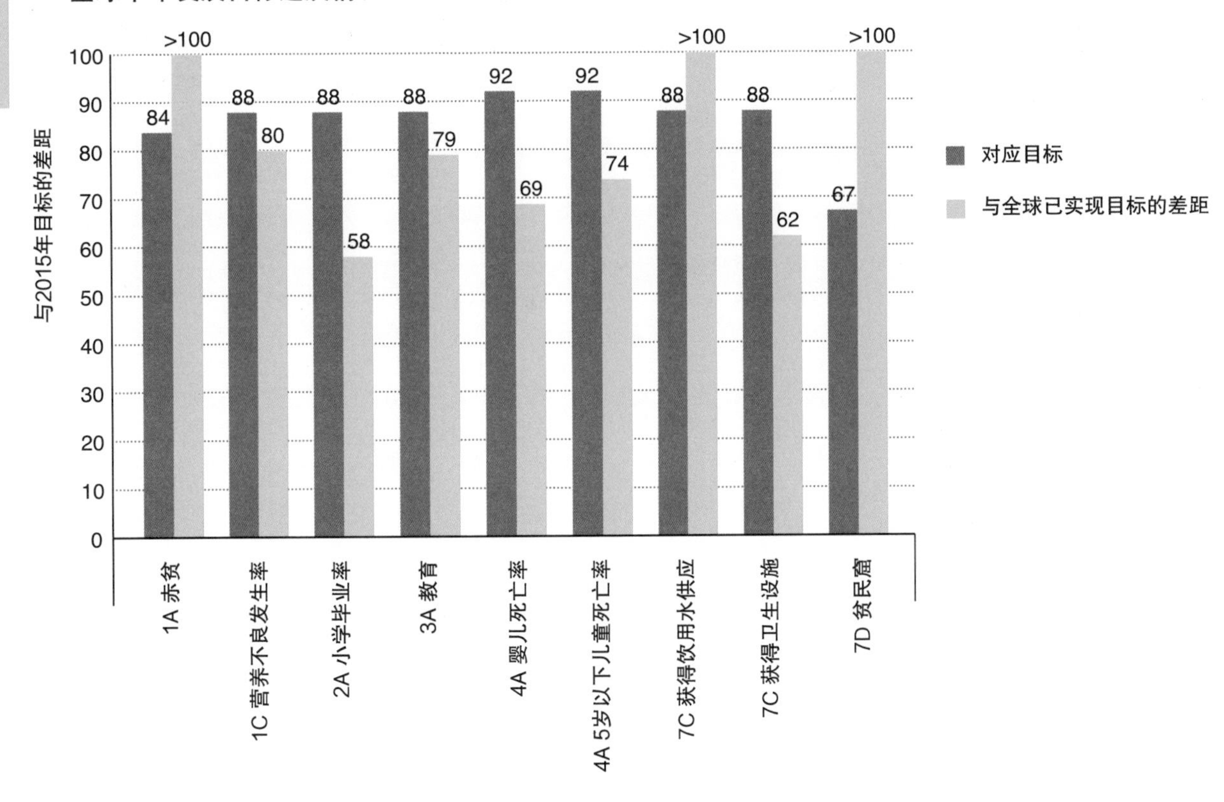

对应的千年发展目标（MDGs）：
1A 赤贫[每天收入不足1.25美元的人口（2005 购买力平价）]；
1C 营养不良发生率（占人口比例）；
2A 小学毕业率,总比例（占相关年龄群的比例）；
3A 中小学男女比例（%）；
4A 婴儿死亡率（每千活产）；
4A 5岁以下儿童死亡率（每千活产）；
7C 获得安全饮用水供应（占获得供应人口的比例）；
7C 获得基础卫生设施（占获得设施人口的比例）；
7D 改善至少一亿位贫民窟居民的生活（2020年前）。
注释：100%的数值表示对应的千年发展目标已经达成。
* 对应指标表明为在2015年前实现目标当前需要取得的进展。
** 最新数值显示当前取得的进展，也反映在最新的数据中：赤贫，2011；小学毕业率，总比率，2012；中小学男女比例，2012；死亡率，婴儿，2013；死亡率，五岁以下儿童，2013；改善水源，2012；改善卫生设施，2012。
资料来源：改编自世界银行组织（2015, Fig. 12, p. 30，根据［World Bank calculations based on data from the World Development Indicators database］里面引用的来源）。
The World Bank Group. 2015. Global Monitoring Report 2014/2015: Ending Poverty and Sharing Prosperity. Washington, DC, World Bank. doi:10.1596/978-1-4648-0336-9. http://www.worldbank.org/content/dam/Worldbank/gmr/gmr2014/GMR_2014_Full_Report.pdf

指标 31

各地区千年发展目标取得的绝对进展情况

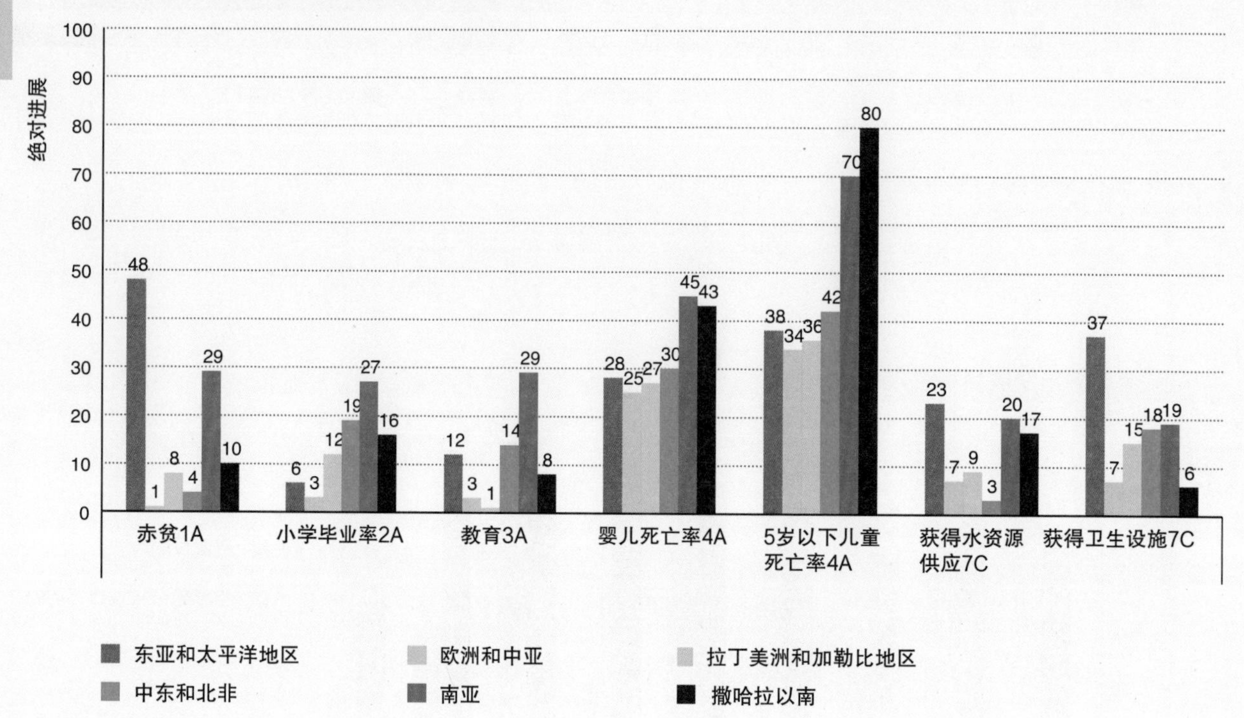

对应的千年发展目标（MDGs）：
1A 每天1.25美元收入以下的贫困人口比例（购买力平价）(占人口比例）；
2A 小学毕业率，总体比例（占相关年龄群比例）；
3A 中小学男女比例（%）；
4A 死亡率，婴儿（每千活产）；
4A 死亡率，5岁以下儿童（每千活产）；
7C 改善水源（占获得供应人口比例）；
7C 改善卫生设施（占获得设施人口的比例）。

注释：人口、绝对差加权，1990至最近一次观察：赤贫，2011；小学毕业率，总比率，2012；中小学男女比例，2012；死亡率，婴儿，2013；死亡率，5岁以下儿童，2013；改善水源，2012；改善卫生设施，2012。

资料来源：改编自世界银行（2014, Fig. 2, p. 4, 根据[World Development Indicators]中所引用来源）。
World Bank. 2014. United Nations System Chief Executives Board for Coordination (CEB), Review of MDG Acceleration at the Country Level Fourth Review Session. Washington, DC, World Bank.

从国家数量看千年发展目标实现进度

	达到目标	目标取得足够进展[a]（<2015）	目标进展不足[b]（2015—2020）	轻微偏离目标[c]（2020—2030）	严重偏离目标[d]（2030）	数据不足[e]
每天生活费不足1.25美元的人口百分比	74	9	6	5	22	28
营养不良发生率（占总人口的百分比）	35	8	4	13	52	32
小学毕业率（占相关年龄群的百分比）	44	11	14	16	36	23
中小学男女入学人数比例	65	10	6	13	28	22
5岁以下婴儿死亡率（每千活产）	37	18	16	37	34	2
婴儿死亡率（每千活产）	6	9	22	28	77	2
获得改善的水源供应人口比例	66	1	3	2	53	19
获得改善的卫生设施人口比例	35	6	3	8	69	23

注释：除了第五个MDG使用过去3年的数据以外，所取得进展都是基于对每个国家过去五年年度增长率的推算。
a 足够进展是指上一个可观察数据的五年期的增长率与最近一次观察数据点增长率相比，显示出该MDG可以实现。
b 进展不足的定义为2016—2020年间未能实现MDG。
c 轻微偏离目标是指MDG可以在2020—2030年间实现。
d 严重偏离目标是指MDG在2030年前也未能实现。
e 数据不足是指没有足够数据点可以对进展情况进行评估，或者MDG的初始值缺失（除了小学毕业率和入学率）。在减贫目标上，66个达成目标的国家中有11个国家每天生活费低于1.25美元的人口比例低于2%。
资料来源：改编自世界银行组织（2015, Fig. 13, p. 31, 根据 [WDI and GMR team estimates]中引用的来源)。
The World Bank Group. 2015. Global Monitoring Report 2014/2015: Ending Poverty and Sharing Prosperity. Washington, DC, World Bank. doi:10.1596/978-1-4648-0336-9.
http://www.worldbank.org/content/dam/Worldbank/gmr/gmr2014/GMR_2014_Full_Report.pdf

摄制组名单

第 1 页 (从左上角按顺时针方向):

1. Ponte del Diavolo 威尼斯之桥 (Maddalena Bridge), 塞尔基奥河 (意大利)。摄影师: Patrizio Boschi。
2. 越南快速城镇化。摄影师: Tran Viet Duc/World Bank。
3. 湾岸花园 (新加坡)。摄影师: Edmund Gall。
4. 湄公河三角洲。摄影师: G. . Smith (CIAT)。
5. 爱尔哈姆拉传统灌溉渠, Ad Dakhiliyah (阿曼)。摄影师: Simon Monk。
6. 乌波卢岛主要南面公路沿途 (萨摩亚)。摄影师: Matti Vuorre。
7. 保护和恢复春天 (巴西)。摄影师: Itaipu Binacional。

第 33 页 (从左上角按顺时针方向):

1. 鸟瞰马瑙斯, 巴西亚马逊州首府 (巴西)。摄影师: Neil Palmer (CIFOR)。
2. 把水倒进水缸 (加纳)。摄影师: © Arne Hoel/The World Bank。
3. 东京涉谷区十字路口行人 (日本)。© Thomas La Mela/Shutterstock. com。